L'express végétarien

© 2005 Modus Vivendi inc.
Textes © 2005 Marie-Claude Morin
Photographies © 2005 Headlight

LES ÉDITIONS MODUS VIVENDI INC.
5150, boulevard Saint-Laurent
Montréal (Québec)
Canada
H2T 1R8

Coordonnateur de la production : *Hernan Viscasillas*
Design graphique : *Les services d'édition Hernan Viscasillas*
Photographie : *Studio de photographie Headlight*
Stylistes culinaires et accessoiristes : *Marie-Claude Morin*
André Rozon
David Radburn
Révision des textes : *Noémie Fallu*
Réal Morin
Jeannine Veilleux
Design de la couverture : *Marc Alain*

ISBN : 2-89523-360-8

Dépôt légal : 4ᵉ trimestre 2005
Bibliothèque nationale du Québec
Bibliothèque nationale du Canada

Nous reconnaissons l'aide financière du gouvernement du Canada par
l'entremise du Programme d'aide au développement de l'industrie de
l'édition (PADIÉ) pour nos activités d'édition.
Gouvernement du Québec — Programme de crédit d'impôt pour l'édition
de livres — Gestion SODEC

L'express végétarien

150 recettes de 30 minutes

Marie-Claude Morin

Photographie
David Radburn
et André Rozon

MODUS VIVENDI

Remerciements

Merci à l'équipe du studio de photographie Headlight. André et David, quel talent ! Quelle minutie ! Quel professionnalisme ! Vos photos sont splendides. Elles donnent le goût...

Merci à Marc Alain, l'éditeur, pour la confiance totale et la belle distribution qui nous permet d'être feuilletés, regardés et cuisinés un peu partout.

Merci à tous ceux et celles qui ont prêté une assiette, une fourchette, une idée, ou leurs papilles gustatives pour essayer de nouveaux plats.

Un merci bien spécial à Hernan, le meilleur papa du monde et le plus merveilleux amoureux de la terre, pour la petite poussée dans le dos, pour avoir cru et pour avoir été le plus enthousiaste des goûteurs.

Et merci aux enfants... Loïc, Dali et Bili qui vivent l'aventure végétarienne tous les jours. Je vous adore.

Table des délices

Introduction

Vous avez envie de bien manger ? Vous avez envie de consommer des produits sains ? Vous avez envie de vous simplifier la vie ? C'est possible. On a tendance à penser que la cuisine végétarienne est une aventure complexe. Ce livre vous donnera la preuve du contraire. Je ne suis pas chef. Je suis végétarienne. Je suis instinctive. J'aime la bonne bouffe. Et comme vous, je suis une maman aux chaudrons toujours pressée qui travaille à temps plein. J'ai appris à cuisiner rapidement. Les minutes qu'on sauve dans la cuisine on peut les récupérer à écouter nos enfants nous raconter leur journée, à discuter entre amis, ou à regarder notre amoureux dans le blanc des yeux. Il faut apprécier les belles et bonnes choses de la vie. *L'express végétarien* s'adresse aux végétariens, autant qu'aux gens qui auraient envie de tenter l'expérience une fois de temps en temps. En espérant qu'il vous procurera beaucoup de plaisir.

VARIÉTÉ. Certaines personnes naissent végétariennes, d'autres le deviennent au fil de leur vie, et certains, prudents, s'y promènent de temps en temps. On mange végétarien pour toutes sortes de raisons : par goût, par envie, par principe, par respect. Il faut se donner la liberté d'être végétarien selon ce qui nous convient. Moi, je mange des œufs et du fromage parce que j'adore les œufs et le fromage. Ce sont d'ailleurs des produits qui sont abondamment utilisés dans ce livre. Vous verrez que la cuisine végétarienne est très imaginative. Entre les légumineuses, le tofu, les céréales, les fruits et les légumes, l'éventail des possibilités est grand. Il faut y mettre un peu d'effort, c'est vrai, mais le résultat est varié, coloré et invitant.

SIMPLICITÉ. On se creuse souvent la tête pour rien. Les choses simples sont souvent les meilleures. Les saveurs prennent tout leur sens dans la simplicité et ce livre se veut sans prétention. Les listes d'ingrédients ne sont pas très longues et les étapes pour réaliser les recettes sont faciles. *L'express végétarien* contient beaucoup de recettes inventées sous pression avec des « J'ai faaaaim… » dans les oreilles. Il comprend également beaucoup de grands classiques revisités. Vous trouverez des recettes inspirées de voyages en Espagne. Il cache aussi des trésors de famille qui ont traversé le temps. Et quelques trouvailles toutes personnelles.

RAPIDITÉ. Quelques recettes vous demanderont un peu plus de temps, mais en général, elles se feront en deux temps trois mouvements.

ACCESSIBILITÉ. Il m'est souvent arrivé de feuilleter des livres de recettes inspirants, puis de me décourager en lisant une liste d'ingrédients difficiles à trouver. C'est ce qui m'a donné envie de vous proposer des recettes accessibles. Vous dénicherez tout tout tout, partout. Vous n'aurez pas à courir les épiceries spécialisées pour trouver tel ou tel ingrédient. Vous ne retrouverez pas non plus d'informations nutritionnelles dans ce livre. Je laisse le soin aux professionnels de la santé de vous causer de nutrition et du merveilleux monde des glucides et des lipides. Ce livre n'en est pas un de privations, ni de calculs. Mais c'en est un de bonnes habitudes alimentaires. Optons pour des principes de base qui font appel au gros bon sens. Pas trop de gras. Pas trop de sucre. Et le moins de produits transformés possible.

GARDE-MANGER. À chacun ses grandes tendances. À chacun ses forces et ses produits chouchous. Il y a des aliments qui dépannent dans toutes sortes de situations. J'aime camoufler dans le garde-manger quelques pots de pignons, d'amandes, de graines de sésame, des boîtes de tomates italiennes, des légumineuses, des pâtes, du bouillon de légumes, de l'huile d'olive, de la moutarde de Dijon, ainsi qu'un gros bloc de tofu dans le fond du frigo. C'est ce qu'on appelle des ingrédients miracles. Sans compter les légumes passe-partout qui se conservent longtemps : le sac de carottes, le chou, l'ail et les oignons.

IMPROVISER. Le goût de faire de la cuisine vient avec le temps et la pratique. Tout comme la confiance et l'instinct d'ailleurs. Au fil des recettes, j'espère que vous aurez envie de modifier, de déborder, d'ajouter votre touche personnelle. Cela deviendra alors votre livre de recettes.

Bonne bouffe !

Marie-Claude.

ENTRÉES

Quand l'estomac commence à gronder, il faut passer à l'action. Surtout quand on sait qu'on ne passera pas à table avant une heure. Voici une gamme d'entrées et de petites bouchées légères, que vous pourrez pour la plupart préparer d'avance. Et rien de trop lourd pour vous couper l'appétit. Vous aurez encore de la place pour ce qui suit.

Pour se mettre en appétit

Mini-tomates au fromage

Une entrée sans gâchis. Chaque tomate est une bouchée. Donne 25 bouchées.

25	**mini-tomates**	
1/2 tasse	**fromage à la crème**	125 g
2 c. à soupe	**pignons, grillés**	30 ml

1 Faire griller les pignons quelques minutes dans
une poêle à feu moyen.

2 Couper la tête des mini-tomates. Les vider de
leurs pépins avec une toute petite cuillère.

3 Dans un bol, faire ramollir le fromage quelques
secondes au micro-ondes. Mélanger le fromage
aux pignons. Remplir les tomates. On peut
ajouter quelques branches de persil pour
colorer cette entrée.

PIGNONS - On les appelle aussi noix
de pin, puisqu'ils sont le fruit des pommes
de pin. Ce sont des noix fantastiques qui
gagnent en saveur une fois grillées.

Quesadillas au fromage

Les feuilles de basilic frais rendent le contenu de ces quesadillas explosif. Une belle recette de fin d'été. Pour 4 à 6 personnes.

3 grandes	**tortillas**	
1/4 de tasse	**fromage de chèvre crémeux**	50 g
1	**courgette, coupée en rondelles**	
3	**tomates italiennes, coupées en tranches**	
1/4 de tasse	**oignon, haché**	60 ml
15 feuilles	**basilic**	
1/2 tasse	**cheddar râpé**	50 g

1 Étendre le fromage de chèvre sur la moitié des tortillas.

2 Dans une poêle, faire revenir les rondelles de courgette jusqu'à ce qu'elles soient tendres.

3 Mettre en étages sur le fromage de chèvre : l'oignon, les tranches de tomates, la courgette, le basilic et le cheddar. Replier les tortillas.

4 Faire rôtir dans une poêle avec un peu d'huile jusqu'à ce que le fromage soit fondu et le pain croustillant. Couper en deux et servir.

Vous pouvez tout aussi bien prendre de petites tortillas pour faire cette recette tel que présentée sur la photo.

Guacamole

Salsa à la coriandre

Guacamole

Pour 4 personnes. Servir avec des nachos qui craque-
ront sous la dent. Vous aussi craquerez pour
la texture et la finesse de cette trempette.

2	**avocats bien mûrs**	
2 c. à soupe	**jus de citron frais**	30 ml
2 c. à thé	**huile d'olive**	10 ml
1	**tomate, coupée en dés**	
1	**gousse d'ail, pressée**	
1 pincée	**sucre**	
au goût	**sel et poivre**	

1 Réduire les avocats en purée à la fourchette ou au
robot culinaire.

2 Ajouter les autres ingrédients, dont la tomate sans
pépins. Servir aussitôt puisque les avocats ont tendance à noircir rapidement.

Salsa à la coriandre

Pour quelques personnes en entrée. On peut facilement doubler, tripler et même quadrupler la recette selon l'appétit de
chacun. Vous verrez rapidement le fond du bol.

1	**tomate**	
1/4 de tasse	**oignon rouge**	60 ml
1/4 de tasse	**coriandre fraîche**	60 ml
1/4 de tasse	**jus de tomate**	60 ml
1	**piment chili**	
au goût	**sel et poivre**	

1 Dans un bol, mélanger la tomate et l'oignon coupés en dés.

2 Ajouter la coriandre hachée, le jus de tomate et le
piment. La coriandre est l'ingrédient magique de
cette recette.

entrées

Hummus

Il n'est pas nécessaire de faire du hummus avec une boîte complète de pois chiches. On évite de cette façon d'en manger pendant des jours et des jours. Servir avec des pointes de pita grillé ou des légumes.

1 1/2 tasse	**pois chiches en boîte**	375 ml
1	**gousse d'ail**	
3 c. à soupe	**jus de citron frais**	45 ml
1 c. à soupe	**huile d'olive**	15 ml
3 c. à soupe	**eau**	45 ml
1 c. à soupe	**tahini**	15 ml
1/2 c. à thé	**sel**	2,5 ml
au goût	**poivre**	

1 Mélanger tous les ingrédients au robot culinaire jusqu'à l'obtention d'une consistance crémeuse. Dans cette recette, l'eau remplace facilement une plus grande quantité d'huile d'olive. Et c'est tout aussi bon. Pour la présentation, verser un peu d'huile sur le dessus et saupoudrer de persil frais.

Pita grillé

Pour 4 personnes. Voici la recette d'une entrée passe-partout. Les pointes de pita grillé accompagnent merveilleusement bien hummus, guacamole et trempette.

4	**pains pita**	
au goût	**huile d'olive**	
au goût	**cumin moulu**	
au goût	**paprika**	

1 Couper les pains pita en pointes. Mettre un peu d'huile d'olive sur chacune des pointes. Saupoudrer de cumin moulu ou de paprika.

2 Mettre au four à 400 °F (200 °C) jusqu'à ce que le pain soit croustillant, soit environ une dizaine de minutes.

Petit pain au brie

Le goût sucré de ces petites bouchées saura surprendre vos papilles gustatives. Donne 12 bouchées.

1	**pain baguette**	
au goût	**moutarde de Dijon**	
12 tranches	**fromage brie**	
12	**pacanes, grillées**	
1 filet	**sirop d'érable**	

1 Faire griller les pacanes quelques minutes dans une poêle à feu moyen.

2 Couper 12 tranches de pain baguette et tartiner de moutarde de Dijon. Déposer sur chacune une tranche de brie et une pacane grillée.

3 Ajouter un filet de sirop d'érable sur chaque bouchée avant de déposer au four à 350 °F (175 °C) jusqu'à ce que le fromage soit fondant.

Petit pain parmesan

Voici une recette facile pour une entrée au fromage. Elle peut très bien accompagner une salade. Donne 12 bouchées.

1	**pain baguette**	
1/3 de tasse	**fromage à la crème**	100 g
1/3 de tasse	**persil frais, haché**	75 ml
2 c. à soupe	**parmesan frais, râpé**	30 ml

1 Couper 12 tranches de pain baguette.

2 Mélanger le reste des ingrédients ensemble avant d'étendre sur le pain.

3 Mettre au four à 350 °F (175 °C) jusqu'à ce que ce soit chaud.

Dans l'ordre, du plus près au plus éloigné : **Petit pain au brie**, **Petit pain aux oignons**, **Petit pain bruschetta**, **Petit pain parmesan**

Petit pain bruschetta

Une version fromagée de ce grand classique.
N'ayez pas peur d'oser une belle grosse gousse d'ail.
Donne 12 bouchées. En saison, utiliser des herbes
fraîches pour donner encore plus de goût à votre entrée.

1	**pain baguette**	
1	**gousse d'ail, hachée**	
2	**tomates**	
2 c. à thé	**huile d'olive**	10 ml
1/4 de tasse	**oignon rouge haché**	60 ml
1 c. à thé	**basilic séché**	5 ml
1 c. à thé	**persil séché**	5 ml
1 tasse	**cheddar fort râpé**	100 g
1 pincée	**paprika**	

1 Couper 12 tranches de pain baguette et les frotter
avec la gousse d'ail coupée en deux.

2 Mélanger dans un bol les tomates épépinées, l'huile,
l'oignon, l'ail et les herbes.

3 Déposer sur le pain. Ajouter le fromage et saupoudrer
de paprika pour décorer.

4 Faire cuire 15 minutes au four à 350 °F (175 °C)
avec une finale sous le gril pour faire dorer
le fromage.

Petit pain aux oignons

Les enfants se ruent toujours sur ces petites bouchées aux oignons. Avec une note parfaite sans hésitation. Donne 12 bouchées.

1	**pain baguette**	
au goût	**mayonnaise**	
1/3 de tasse	**échalote française**	75 ml
1 1/2 tasse	**cheddar fort râpé**	150 g
1 pincée	**paprika**	

1 Couper 12 tranches de pain baguette et tartiner de mayonnaise.

2 Ajouter l'échalote française hachée finement puis le fromage cheddar. Saupoudrer de paprika pour décorer.

3 Faire chauffer 15 minutes au four à 350 °F (175 °C) avec une finale sous le gril pour faire dorer le fromage.

CHEDDAR - C'est un fromage que l'on consomme beaucoup Québec, mais dont le pays d'origine est l'Angleterre. En fait, Cheddar est le nom d'une petite ville du sud de l'Angleterre. On aime pouvoir choisir le cheddar de doux à très fort.

Camembert fondant

Le secret de cette recette est de faire chauffer le fromage juste à point, ramolli... mais pas trop.
Pour 4 personnes. Servir avec des fruits frais et du pain.

1	**fromage camembert rond**	170 g
1 c. à soupe	**pesto** *(voir recette page 92)*	15 ml
3 c. à soupe	**pacanes**	45 ml

1 Hacher les pacanes et les faire griller dans une poêle quelques minutes à feu moyen.

2 Étendre le pesto sur le dessus du fromage. Faire la même chose avec les pacanes.

3 Envelopper le fromage dans du papier d'aluminium et mettre au four à 300 °F (150 °C). Toucher le fromage et servir quand on le sent fondant.

CAMEMBERT - Marie Harel était une fermière de Camembert en Normandie. C'est elle qui aurait mis au point la recette du camembert vers la fin des années 1700. Cest un des fromages français les plus connus dans le monde.

Galettes de polenta

Si vous avez envie de faire changement des entrées servies sur pain baguette. Donne une trentaine de bouchées servies sur polenta.

Pour la polenta :

1 tasse	**semoule de maïs**	250 ml
4 tasses	**eau**	1 litre
1 pincée	**sel**	
1 c. à soupe	**huile d'olive**	15 ml

Pour la garniture :

1/4	**oignon espagnol, haché**	
1	**gousse d'ail, pressée**	
2	**tomates, épépinées et coupées en dés**	
2 c. à soupe	**persil haché**	30 ml
1 c. à thé	**huile d'olive**	5 ml
1 c. à thé	**vinaigre balsamique**	5 ml
1 c. à thé	**jus de citron**	5 ml

1 Dans un chaudron, faire bouillir l'eau avec le sel. Ajouter graduellement la semoule de maïs. Brasser le mélange quelques minutes. Étendre en une couche mince sur une tôle à biscuits. Laisser refroidir avant de couper à l'emporte-pièce selon la forme de votre choix. On peut par exemple utiliser un verre ou une coupe.

2 Faire rôtir les morceaux de polenta dans une poêle avec l'huile d'olive.

3 Mélanger dans un bol les ingrédients de la garniture. En déposer une cuillerée sur chacun des morceaux de polenta avant de servir.

À gauche : galettes de polenta, à droite : galettes de tofu

Galettes de tofu

Ces petites entrées font penser à de minuscules pizzas.
Le tofu remplace la pâte. Vous pourrez en faire autant
que vous voulez. Ici, pour 6 galettes.

6 tranches	**tofu**	
3 tranches	**oignon rouge**	
1	**tomate**	
6	**olives kalamata**	
1/8 de tasse	**fromage de chèvre**	30 ml

1 Couper le tofu en tranches d'environ 3/4 de pouce (1 cm).

2 Mettre sur chacune, 1/2 tranche d'oignon, la tomate
   coupée en dés, les olives en morceaux et le fromage.

3 Déposer sur une tôle à biscuits huilée. Mettre la grille
   du four très bas de façon à ce que l'élément chauffe
   le tofu et le fasse devenir croustillant.

4 Faire cuire une quinzaine de minutes à 450 °F (230 °C).

Trempette aux haricots

Voici une recette de trempette facile, pas trop riche.
Vous verrez qu'elle a beaucoup de caractère.
Elle vous rappellera le goût de certaines vinaigrettes asia-
tiques. Donne environ 2 tasses (500 ml) de trempette.

2 tasses	**haricots blancs en boîte**	500 ml
1/3 de tasse	**eau**	75 ml
1/4 de tasse	**crème sure légère**	60 ml
2 c. à thé	**huile de sésame**	10 ml
2 c. à thé	**vinaigre de riz**	10 ml
1/2 c. à thé	**coriandre moulue**	2,5 ml
1/4 c. à thé	**cumin**	1 ml
au goût	**sel et poivre**	

1 Mélanger tous les ingrédients au robot culinaire.

On peut ajouter 1 c. à thé (5 ml) de graines de
sésame grillées avant de servir pour un goût encore
plus prononcé, ou simplement pour décorer.

**Dans le sens des aiguilles d'une montre en commençant par en haut
à droite : trempette aux haricots, trempette au cari, trempette aux
gourganes, trempette au poivron.**

Trempette au cari

Le cari donne une petite touche spéciale à cette trempette. Servir avec des bâtonnets de légumes, particulièrement des carottes et des courgettes. Donne environ 2 tasses (500 ml) de trempette.

1 tasse	**crème sure légère**	250 ml
1/2 tasse	**sauce chili**	125 ml
1/4 tasse	**mayonnaise**	60 ml
2 c. à thé	**vinaigre de vin rouge**	10 ml
1 c. à thé	**cari en poudre**	5 ml
4	**échalotes** (facultatif)	
au goût	**sel et poivre**	

1 Mélanger tous les ingrédients ensemble.

2 Ajouter les échalotes coupées en petits morceaux au goût.

Trempette aux gourganes

Le vert de cette trempette donne une touche printanière aux assiettes de crudités. Vous allez retrouver des gourganes en boîte à l'épicerie. Elles sont savoureuses. Il arrive qu'on leur donne le nom de fèves de marais. Donne environ 1 1/2 tasse (375 ml) de trempette.

1 tasse	**gourganes vertes en boîte**	250 ml
1/2 tasse	**mayonnaise**	125 ml
2	**échalotes, en morceaux**	
2 c. à soupe	**vinaigre de cidre**	30 ml
2 pincées	**cari**	
au goût	**sel et poivre**	

1 Réduire les gourganes en purée au robot culinaire.

2 Ajouter les autres ingrédients et servir.

Trempette au poivron

Le poivron grillé procure une saveur exquise à cette trempette. Donne environ 1 1/2 tasse (375 ml) de trempette.

1	**poivron orange**	
1 tasse	**fromage cottage**	250 ml
1/2 tasse	**fromage feta**	50 g
1/2	**gousse d'ail**	
au goût	**sel et poivre**	

1 Sur une tôle à biscuits, faire rôtir le poivron au four à 500 °F (260 °C) sur la grille du haut en le tournant une fois de temps en temps, jusqu'à ce que la peau noircisse.

2 Déposer le poivron dans un plat fermé hermétiquement. Une fois refroidi, enlever la peau, le coeur et les pépins. Réduire en purée au robot culinaire avec le reste des ingrédients.

POIVRON - Originaire du Mexique, le poivron est très polyvalent. On le consomme maintenant de toutes les couleurs. Le rouge est plus doux et sucré que le vert. Sans peau, il devient plus facile à digérer.

entrées

Bouchées aux champignons

Voici la preuve vivante d'un beau mariage entre le tofu
et les champignons. Donne 10 entrées originales et
belles à regarder.

10	**champignons**	
1 c. à soupe	**jus de citron**	15 ml
1	**gousse d'ail, hachée finement**	
10 cubes	**tofu**	100 g
2 c. thé	**huile d'olive**	10 ml
1 c. à thé	**tamari**	5 ml
1 c. à soupe	**graines de sésame**	15 ml
au goût	**sel et poivre**	

1 Faire tremper les champignons sans queue dans l'eau
une quinzaine de minutes.

2 Dans une poêle, faire revenir à feu élevé dans l'huile
d'olive les cubes de tofu avec le tamari. Une fois
dorés, ajouter les graines de sésame qui vont coller
au tofu et réserver.

3 Reprendre la même poêle pour faire revenir l'ail, les
champignons et le jus de citron. Laisser les saveurs se
mélanger.

4 Déposer un cube de tofu dans chaque capuchon de
champignon. Faire tenir avec un cure-dent.

En bas : bouchées aux champignons, en haut à gauche :
bouchées de chèvre, en haut à droite : bouchées de feta.

Bouchées de chèvre

Une recette d'une grande simplicité. L'utilisation d'ingrédients de qualité assurera le succès de cette entrée. Donne 12 bouchées divines.

2	**poivrons rouges**	
1/3 de tasse	**fromage de chèvre crémeux**	75 g

1 Sur une tôle à biscuits, faire rôtir les poivrons au four à 500 °F (260 °C) sur la grille du haut, en les tournant régulièrement, jusqu'à ce que la peau soit noircie.

2 Laisser refroidir les poivrons dans un plat fermé hermétiquement, ou dans un bol sur lequel on peut déposer un linge mouillé ou une pellicule plastique.

3 Enlever avec délicatesse la peau, le coeur et les pépins.

4 Couper les poivrons grillés en lanières. Mettre un bout de fromage de chèvre dans chaque lanière et rouler. Faire tenir avec un cure-dent.

Bouchées de feta

Une entrée au fromage comme on les aime. Choisir un feta de bonne qualité. Donne une douzaine de bouchées dont le mélange sucré-salé saura vous charmer.

1	**courgette**	
25	**canneberges séchées**	
3/4 de tasse	**fromage feta en cubes**	75 g

1 Couper la courgette avec la pelure en tranches minces dans le sens de la longueur. Une courgette moyenne donne environ six belles tranches.

2 Déposer sur une tôle à biscuits avec un peu d'huile d'olive et faire cuire sur la grille du haut à 500 °F (260 °C). Tourner les tranches en milieu de parcours et bien surveiller qu'elles ne brûlent pas. Vous en aurez pour 10-15 minutes.

3 Une fois bien cuites, couper les tranches en deux.

4 Garnir chaque tranche d'un cube de feta et rouler.

5 Ajouter les canneberges sur le dessus. Faire tenir avec un cure-dent.

FETA - Fromage grec fait à partir de lait de chèvre, de brebis ou de vache. Il se vend aussi en version moitié-moitié.

Roulés de légumes

Des roulés végétariens charmants que vous pourrez servir à la manière de sushis. Pour 6 personnes en entrée. Vos invités chercheront sérieusement d'où vient ce goût si savoureux. La courgette grillée vient souvent mêler les cartes.

4	**courgettes**	
10	**asperges**	
1/2	**poivron rouge, coupé en lanières**	
1	**concombre, épépiné**	
5 grandes	**tortillas**	
3/4 de tasse	**hummus** (*Voir recette page 18*)	180 ml

1 Couper les courgettes en tranches minces dans le sens de la longueur. Déposer sur une tôle à biscuits avec un peu d'huile d'olive et faire cuire une dizaine de minutes à 500 °F (260 °C). Réserver.

2 Faire cuire les asperges et le poivron rouge à la vapeur quelques minutes.

3 Couper le concombre en lanières dans le sens de la longueur sans les pépins.

4 Étendre du hummus sur chacune des tortillas. Déposer les tranches de courgettes côte à côte, avant de mettre dans l'autre sens, asperges, poivron et concombre.

5 Rouler serré et couper en rondelles.

CUIRE À LA VAPEUR - Mettre de l'eau dans un chaudron et les légumes à cuire dans un chaudron perforé. Calculer quelques minutes à partir du moment où l'eau bout. C'est la cuisson parfaite quand on veut des légumes encore croquants.

Mini-pitas aux œufs

Donne 24 bouchées. Le tofu rend cette recette beaucoup moins riche que s'il n'y avait que des oeufs. Vous remarquerez aussi qu'il n'y a pas trop de mayonnaise. La tartinade aux oeufs peut aussi être utilisée pour garnir des bouts de céleri et vos sandwichs.

24	**mini pains pita**	
1 pincée	**paprika moulu**	
1 filet	**huile d'olive**	
1/3 de bloc	**tofu**	150 g
3	**œufs**	
1 c. à soupe	**yogourt**	15 ml
1 c. à soupe	**mayonnaise**	15 ml
1 c. à thé	**moutarde de Dijon**	5 ml
2 c. à thé	**vinaigre de vin blanc**	10 ml
2 c. à thé	**jus de citron frais**	10 ml
2	**échalotes**	
5	**olives noires**	
2	**cornichons sucrés**	
1 c. à thé	**sel**	5 ml
au goût	**poivre**	

1 Déposer un soupçon d'huile d'olive et une pincée de paprika moulu sur les pains pita et les mettre sur une tôle à biscuits. Faire chauffer au four à 450 °F (230 °C) jusqu'à ce qu'ils soient croustillants. On peut mettre un poids sur les pitas pour éviter qu'ils ne se mettent à gonfler.

2 Passer au robot culinaire le tofu, les œufs cuits durs et les condiments. Ajouter ensuite échalotes, olives, cornichons, sel et poivre.

3 Mettre une bonne quantité du mélange sur chaque pita et servir. On peut mettre quelques olives et du persil pour décorer.

SOUPES

Le réconfort d'une bonne soupe chaude est formidable. C'est comme si on se retrouvait en terrain connu. Elle réchauffe l'âme. Elle ouvre l'appétit. Elle donne le ton au repas. Et elle met du piquant dans vos midis pressés. Voici une belle gamme de crèmes et de soupes, faciles à réaliser.

Pour se réchauffer l'âme

Minestrone

La famille va se battre pour attraper les feuilles de chou. Pour 4 personnes. Cette soupe peut très bien faire office de repas, accompagnée d'un bon pain.

1 c. à soupe	**huile d'olive**	15 ml
1	**gousse d'ail**	
1	**oignon, coupé en dés**	
1 tasse	**carottes en dés**	250 ml
1/2 tasse	**céleri en dés**	125 ml
1 tasse	**pommes de terre en dés**	250 ml
1 tasse	**courgettes en dés**	250 ml
2	**tomates**	
5 tasses	**bouillon de légumes**	1,25 l
1 tasse	**haricots rouges en boîte**	250 ml
1 c. à thé	**sel**	5 ml
1/8 c. à thé	**thym**	0,5 ml
1	**feuille de laurier**	
1/2 tasse	**parmesan frais, râpé**	125 ml
4 feuilles	**chou de Savoie**	
au goût	**poivre**	

1 Dans un chaudron, faire revenir l'ail et l'oignon dans l'huile.

2 Ajouter carottes, céleris, pommes de terre et courgettes. Attendre quelques minutes avant d'incorporer le reste des ingrédients.

3 Déposer les feuilles de chou coupées en deux sur le dessus et mettre le couvercle du chaudron. Laisser mijoter une vingtaine de minutes. Vous pouvez servir la soupe entourée d'une feuille de chou, comme sur la photo.

Potage aux poireaux

Pour 4 personnes. Un grand classique qui a beaucoup de personnalité. Et même pas besoin d'ajouter de crème pour rendre ce potage onctueux.

2 c. à soupe	**huile d'olive**	30 ml
1	**oignon**	
2	**gousses d'ail**	
4 tasses	**blancs de poireau**	1 litre
2	**pommes de terre**	
5 tasses	**bouillon de légumes**	1,25 l
2	**feuilles de laurier**	
1/4 c. à thé	**basilic**	1 ml
1 c. à thé	**persil séché**	5 ml
1/2 tasse	**lait**	125 ml
au goût	**sel et poivre**	

1 Dans un chaudron, faire dorer l'oignon, l'ail et le poireau hachés grossièrement dans l'huile d'olive à feu moyen.

2 Ajouter le reste des ingrédients. Laisser mijoter une vingtaine de minutes à découvert.

3 Enlever les feuilles de laurier. Passer au robot culinaire.

4 Ajouter le lait. Saler et poivrer au goût.

En bas : potage aux poireaux, en haut : potage à la courge.

Potage à la courge

Pour 4 personnes. Le choix de la courge est crucial dans cette recette. La courge Buttercup est parfaite pour sa touche sucrée et sa couleur très orangée. C'est une recette irrésistible.

3 tasses	**courge buttercup**	750 ml
2	**gousses d'ail**	
2 c. à soupe	**huile d'olive**	30 ml
1	**oignon rouge, haché**	
1	**pomme de terre, coupées en dés**	
1/2	**pomme**	
4 tasses	**bouillon de légumes**	1 litre
1/2 c. à thé	**cari**	2,5 ml
1 c. à thé	**sel**	5 ml
au goût	**poivre**	

1 Couper la courge en deux. Enlever les pépins. Mettre un peu d'huile d'olive et les gousses d'ail coupées en deux dans les creux de la courge.

2 Faire cuire au four une trentaine de minutes à 450 °F (230 °C) avant d'éplucher la courge.

3 Dans un chaudron, faire dorer l'oignon dans l'huile d'olive. Ajouter le reste de ingrédients, dont la courge et l'ail.

4 Laisser mijoter une vingtaine de minutes avant de passer au robot culinaire.

Soupe à l'oignon

Pour 2 personnes. Qui n'a jamais craqué pour le réconfort d'une bonne soupe à l'oignon? Pour le croûton de pain fromagé, mais aussi pour ce qui se cache en dessous...

2 c. à soupe	**beurre**	30 ml
1	**oignon espagnol**	
2	**gousses d'ail, hachées finement**	
1 c. à soupe	**farine**	15 ml
3 tasses	**bouillon de légumes**	750 ml
1/3 de tasse	**vin blanc**	75 ml
1/4 c. à thé	**basilic séché**	1 ml
1/2 c. à thé	**moutarde de Dijon**	2,5 ml
1/2 c. à thé	**persil**	2,5 ml
1 c. à thé	**sel**	5 ml
1	**feuille de laurier**	
6 tranches	**pain baguette**	
1/2 tasse	**fromage gruyère râpé**	50 g

1 Dans un chaudron, faire dorer dans le beurre votre gros oignon espagnol coupé en fines lanières et l'ail à feu moyen.

2 Ajouter le reste des ingrédients jusqu'à la feuille de laurier. Laisser mijoter une vingtaine de minutes.

3 Pendant ce temps, faire rôtir les tranches de pain baguette au grille-pain.

4 Mettre une portion de soupe dans chaque bol, avec les tranches de pain, puis le fromage râpé.

5 Faire gratiner au four avant de servir.

Soupe aux champignons

Un délice pour le palais délicat de 4 personnes, ou celui de 2 gourmands. Vous découvrirez toute la finesse du champignon.

1 c. à soupe	**huile d'olive**	15 ml
1	**oignon, haché**	
1	**gousse d'ail, pressée**	
25	**champignons blancs**	
2 tasses	**lait**	500 ml
2 tasses	**bouillon de légumes**	500 ml
1 c. à soupe	**farine**	15 ml
1 c. à thé	**sel**	5 ml
1/2 c. à thé	**sarriette**	2,5 ml
au goût	**poivre**	

1 Dans un chaudron, faire dorer l'oignon dans l'huile avant d'ajouter l'ail pressé et les champignons tranchés. Faire cuire quelques minutes.

2 Ajouter le reste des ingrédients.

3 Laisser mijoter à feu moyen jusqu'à ce que la soupe épaississe et que les champignons soient tendres.

En bas : soupe aux champignons, en haut : soupe à l'oignon.

Soupe aux trois haricots

Pour 4 personnes. Une bonne soupe consistante remplie de protéines. Le mélange des haricots avec les macaronis fait des merveilles.

1 c. à soupe	**huile d'olive**	15 ml
1	**oignon, haché**	
2	**gousses d'ail, pressées**	
1	**pomme de terre, coupées en dés**	
1	**carotte, coupée en dés**	
4 tasses	**bouillon de légumes**	1 litre
1 boîte	**tomates italiennes**	398 ml
1 boîte	**haricots mélangés**	540 ml
1/3 de tasse	**macaronis de blé entier**	75 ml
1/2 tasse	**persil frais**	125 ml
1/2 c. à thé	**sel**	2,5 ml
1 pincée	**herbes de Provence**	
au goût	**poivre**	

1 Dans un chaudron, faire revenir l'oignon dans l'huile d'olive, puis l'ail, la pomme de terre et la carotte. Après quelques minutes, ajouter le reste des ingrédients. Laisser mijoter une vingtaine de minutes.

Soupe aux lentilles

Pour 4 personnes. Les lentilles sont étonnantes. Elles donnent beaucoup de goût aux recettes que l'on prépare. Et c'est probablement la légumineuse la plus rapide à faire cuire.

1 c. à soupe	**huile d'olive**	15 ml
2	**gousses d'ail, pressées**	
1	**oignon, haché**	
1 boîte	**tomates italiennes**	398 ml
1	**carotte, coupée en dés**	
1	**pomme de terre, coupée en dés**	
1 tasse	**lentilles du Puy**	250 ml
4 tasses	**eau**	1 litre

En bas : soupe aux trois haricots, en haut : soupe aux lentilles.

1 pincée	**poivre de cayenne**	
1/4 c. à thé	**paprika**	1 ml
1/4 c. thé	**cari**	1 ml
1 pincée	**herbes de Provence**	
1/2 c. thé	**sel**	2,5 ml

1 Dans un chaudron, faire revenir l'ail et l'oignon dans l'huile avant d'ajouter les tomates. Laisser réduire à feu moyen quelques minutes.

2 Incorporer la carotte, la pomme de terre, les lentilles et l'eau. Il ne restera qu'à laisser mijoter une vingtaine de minutes avec les épices.

Potage au maïs

Pour 4 personnes. Vous aimerez le mélange de la texture crémeuse du potage, avec le croquant des morceaux de carotte et de courgette.

1 c. à soupe	**huile d'olive**	15 ml
1	**gousse d'ail**	
1	**pomme de terre**	
3 tasses	**maïs surgelé**	750 ml
4 tasses	**bouillon de légumes**	1 litre
1 pincée	**thym**	
1	**carotte, coupée en dés**	
1	**courgette, coupée en dés**	
1 c. à thé	**sel**	5 ml
au goût	**poivre**	

1 Dans un chaudron, faire revenir l'oignon, puis l'ail dans l'huile, jusqu'à ce qu'ils soient dorés.

2 Ajouter pomme de terre, maïs, bouillon et thym. Laisser mijoter une vingtaine de minutes avant de passer au robot culinaire.

3 Pendant ce temps, dans une poêle, faire revenir la carotte et la courgette dans un peu d'huile, et incorporer au potage de maïs. Saler et poivrer.

En bas : potage au maïs, en haut : potage de carotte et navet.

Potage de carotte et navet

Pour 4 personnes. Vite fait et bien fait. Les enfants en redemandent. Et le navet passe inaperçu...

1 c. à soupe	**huile d'olive**	15 ml
1	**gousse d'ail, hachée**	
1	**oignon, haché**	
3 tasses	**carottes en rondelles**	750 ml
1	**pomme de terre, coupée en dés**	
1/2 tasse	**navet en dés**	125 ml
4 tasses	**bouillon de légumes**	1 litre
1/2 c. à thé	**sel**	2,5 ml
1/2 c. à thé	**basilic séché**	2,5 ml
1/2 c. à thé	**persil séché**	2,5 ml
1/2 c. à thé	**poudre de céleri**	2,5 ml
1/2 c. à thé	**coriandre moulue**	2,5 ml
au goût	**poivre**	

1 Dans un chaudron, faire revenir l'ail et l'oignon dans l'huile, avant d'ajouter pomme de terre, carotte et navet.

2 Après quelques minutes, porter à ébullition avec le bouillon de légumes et les épices. Réduire à feu moyen et laisser mijoter une bonne vingtaine de minutes.

3 Passer au robot culinaire et servir.

Potage brocoli et cheddar

Pour 4 personnes. Brocoli et fromage vont si bien ensemble. C'est un bouquet de saveurs subtiles.

1 c. à soupe	huile d'olive	15 ml
1/2	oignon, haché	
1	gousse d'ail, hachée	
1	pomme de terre	
1/2 tasse	navet	125 ml
5 tasses	brocoli cru	1,25 l
3 tasses	bouillon de légumes	750 ml
1 tasse	lait	250 ml
3/4 de tasse	cheddar fort râpé	75 g
1 c. à thé	sel	5 ml
au goût	poivre	

1 Dans un chaudron, faire dorer l'oignon et l'ail dans l'huile.

2 Ajouter le reste des ingrédients, sauf le fromage. Laisser mijoter à feu moyen une vingtaine de minutes, jusqu'à ce que les légumes soient bien cuits.

3 Ajouter le fromage quelques minutes avant de passer au robot culinaire et servir.

Soupe en juliennes

Pour 4 personnes. Jamais la simplicité n'aura eu si bon goût. Couper les légumes en juliennes donne la touche originale à cette soupe.

1 c. à soupe	**huile d'olive**	15 ml
1/2	**oignon espagnol, haché**	
2	**gousses d'ail, pressées**	
2 tasses	**courgettes en juliennes**	500 ml
2	**carottes, coupées en juliennes**	
5	**champignons, coupés en juliennes**	
4 tasses	**bouillon de légumes**	1 litre
1 c. à thé	**sel**	5 ml
1/4 c. à thé	**cari**	1 ml
1 poignée	**vermicelles de riz**	

1 Dans un chaudron, faire dorer l'oignon dans l'huile d'olive, puis l'ail et les autres légumes. Faire cuire quelques minutes à feu moyen.

2 Ajouter le bouillon, le sel et le cari. Laisser mijoter une quinzaine de minutes.

3 Lancer une poignée de vermicelles de riz dans la soupe quelques minutes avant de servir.

VERMICELLES DE RIZ - Ce sont de longues pâtes fines de riz que l'on vend en bloc à l'épicerie. Ce sont des pâtes très pratiques qui se cuisent en quelques minutes seulement.

En bas : soupe en juliennes, en haut : potage brocoli et cheddar.

Gaspacho

Pour 4 personnes. Il y a tant de recettes de Gaspacho.
En voici une que vous pourrez réaliser en quelques
minutes, avec le bon petit goût acidulé du vinaigre.
Servir avec des beaux cubes de glace en pleine canicule.

4 tranches	**pain de blé entier**	
2	**gousses d'ail**	
6	**tomates**	
1	**concombre, épépiné**	
1	**poivron vert**	
1/2 tasse	**jus de tomate**	125 ml
1/4 de tasse	**huile d'olive**	60 ml
1 c. à soupe	**vinaigre de vin rouge**	15 ml
au goût	**sel**	

1 Faire tremper la mie des tranches de pain quelques
minutes dans l'eau.

2 Plonger les tomates dans l'eau bouillante une minute.
Enlever la peau et les pépins.

3 Éplucher le concombre et l'épépiner.

4 Mettre tous les ingrédients au robot culinaire. Réduire
en purée. Servir avec des petits cubes d'oignon, de
tomate, de concombre, de poivron, et des croûtons
de pain.

GASPACHO - Soupe froide espagnole. En
Andalousie, elle rafraîchit lors des chaudes
journées d'été. Au départ cuisinée au mortier,
elle se fait aujourd'hui en deux temps trois
mouvements au robot culinaire.

Soupe aux pois

Donne 4 portions. Pour les gens qui aiment les soupes sucrées. Elle se prépare en un rien de temps. Et le résultat est d'un vert éclatant.

1 c. à soupe	**huile d'olive**	15 ml
1	**oignon, haché**	
2	**gousses d'ail, hachées**	
3 tasses	**pois surgelés**	750 ml
1 tasse	**lait de coco**	250 ml
3 tasses	**bouillon de légumes**	750 ml
1/4 c. à thé	**cari**	1 ml
1	**feuille de laurier**	
au goût	**sel et poivre**	

1 Dans un chaudron, faire revenir l'oignon et l'ail à feu moyen pendant quelques minutes.

2 Ajouter le reste des ingrédients et laisser mijoter une quinzaine de minutes.

3 Enlever la feuille de laurier. Passer au robot culinaire avant de servir.

PETIT POIS - Le roi soleil était, semble-t-il, un mordu des petits pois. Ses jardins de Versailles en étaient remplis. De façon plus modeste, il habite également nos jardins. Et il est tout aussi bon.

Soupe au tofu

Pour 4 personnes. Le tofu est extraordinaire dans cette soupe. Il met toutes les saveurs en boîte.

4 tasses	**bouillon de légumes**	1 litre
1 tasse	**vermicelles de riz cuits**	250 ml
1/2 tasse	**champignons séchés**	125 ml
1/2 bloc	**tofu**	225 g
1/2 tasse	**châtaignes d'eau en boîte**	125 ml
5	**échalotes**	
3 c. à soupe	**tamari**	45 ml
1 c. à soupe	**vinaigre de riz**	15 ml
1 tasse	**fèves germées**	250 ml
au goût	**poivre**	

1 Plonger les vermicelles de riz dans l'eau bouillante. Faire cuire quelques minutes avant d'égoutter.

2 Dans un chaudron, faire chauffer le bouillon de légumes. Ajouter les vermicelles de riz, les champignons, le tofu coupé en dés, les châtaignes d'eau, les échalotes coupées en morceaux, le tamari et le vinaigre de riz. Faire cuire une quinzaine de minutes.

3 Lancer les fèves germées dans le chaudron quelques minutes avant de servir. Elles resteront croquantes.

CHÂTAIGNES D'EAU - On les retrouve maintenant en boîte dans la plupart des épiceries, soit complètes ou en tranches. Ce sont des racines de plantes aquatiques. Un peu comme le tofu, elles prennent le goût du plat que l'on cuisine.

Soupe au riz

Pour 4 personnes. La soupe idéale pour soigner une petite grippe ou une mélancolie du dimanche soir. Le parfum du riz basmati est divin.

1 c. à soupe	**huile d'olive**	15 ml
2	**gousses d'ail**	
1	**oignon, haché**	
1/2 tasse	**riz basmati**	125 ml
1 tasse	**gourganes en boîte**	250 ml
2	**tomates italiennes**	
1	**courgette**	
5 tasses	**bouillon de légumes**	1,25 l
1/4 c. à thé	**origan séché**	1 ml
1 1/2 c. à thé	**sel**	7,5 ml
au goût	**poivre du moulin**	

1 Dans un chaudron, faire dorer l'oignon, puis l'ail dans l'huile d'olive.

2 Ajouter le riz basmati, le temps qu'il soit bien enrobé d'huile, puis le reste des ingrédients, dont les tomates et la courgette coupées en rondelles. Amener à ébullition, et réduire pour laisser mijoter.

3 Servir une fois que le riz est bien cuit.

Vous pouvez tout aussi bien utiliser du riz basmati de blé entier. La cuisson sera un peu plus longue.

GOURGANES - Au Québec, elles nous viennent de la région du Lac St-Jean et de Charlevoix. En version vertes, on les appelle aussi fèves de marais.

SALADES

Bienvenue dans le merveilleux monde des salades. On pourrait trouver des idées nouvelles, des variantes à l'infini, et elles seraient toujours aussi bonnes. À base de laitue, de riz ou de pâtes, les salades se font une beauté dans le chapitre culinaire qui suit. Et vous pourrez les cuisiner été comme hiver.

Pour entrer dans le vif du sujet

Salade de légumineuses

Cette salade peut facilement devenir un repas complet servie avec pain frais et fromage. Elle peut aussi servir de garniture à un sandwich roulé dans un pain tortilla. Pour 4 personnes.

1	**légumineuses mélangées en boîte**	540 ml
1	**tomate, coupée en dés**	
2	**échalotes, en morceaux**	
1/2	**poivron de couleur, coupé en dés**	
1/2	**courgette, coupée en dés**	
1 tasse	**haricots verts**	250 ml

Pour la vinaigrette :

1 c. à soupe	**vinaigre de vin blanc**	15 ml
1 c. à soupe	**huile d'olive**	15 ml
1 c. à thé	**moutarde de Dijon**	5 ml
1 pincée	**herbes de Provence**	
au goût	**sel et poivre**	

1 Dans un saladier, déposer les légumineuses rincées et égouttées, la tomate, les échalotes, le poivron et la courgette.

2 Faire cuire les haricots verts quelques minutes à la vapeur avant de les couper en deux. Les ajouter à la salade avec la vinaigrette.

3 Attendre au moins une quinzaine de minutes avant de servir.

En bas : salade de légumineuses, en haut : salade de lentilles.

Salade de lentilles

Peu d'ingrédients pour un amalgame de saveurs saisissant. On sait quand on commence à manger, on ne sait pas quand ça se termine. Pour 4 à 6 personnes.

2 tasses	**lentilles du Puy**	500 ml
2	**tomates**	
1/2	**oignon rouge**	
1 tasse	**coriandre fraîche**	250 ml
3 c. à soupe	**vinaigre balsamique**	45 ml
1 c. à soupe	**huile d'olive**	15 ml
au goût	**sel et poivre**	

1 Faire cuire les lentilles une quinzaine de minutes dans un chaudron rempli d'eau bouillante, jusqu'à ce qu'elles soient cuites, mais encore légèrement croquantes.

2 Rincer les lentilles et les déposer dans un grand bol à salade. Ajouter les tomates, l'oignon, la coriandre coupés en petits morceaux, puis le vinaigre et l'huile. Saler et poivrer au goût.

LENTILLE DU PUY - Elle est de la région de du Puy en France. Il y a d'ailleurs une appellation contrôlée en ce qui la concerne. Il y a tout près de 900 producteurs de lentilles vertes. On l'aime pour sa fermeté, croquante sous la dent.

Salade espagnole

Dans sa version classique, cette salade aurait du thon en conserve. Voici une version totalement végétarienne. Facile comme tout, et bon comme tout.

1	laitue romaine	
1/2	oignon espagnol, en lanières	
30	olives à cocktail vertes	
4	oeufs à la coque, coupés en quartiers	
2	tomates, coupées en quartiers	
3 c. à soupe	huile d'olive	45 ml
3 c. à soupe	vinaigre de vin rouge	45 ml
au goût	sel et poivre	

1 Dans un saladier, couper la laitue en morceaux. Ajouter l'oignon, les olives, les oeufs, puis les tomates.

2 Comme le font si bien les espagnols, on peut arroser à tâton d'huile d'olive et de vinaigre de vin rouge. Sinon, se fier aux quantités suggérées.

3 Saler et poivrer.

salades

Salade orientale

La vinaigrette de cette salade est tout simplement craquante. Elle convient à merveille au choix de légumes proposé.

1/2 sac (4 oz)	**épinards**	115 g
2 tasses	**fèves germées**	500 ml
1 tasse	**pois mange-tout**	250 ml
1/2	**courgette, coupée en dés**	
1	**tomate, coupée en dés**	
1/8 de tasse	**pignons, grillés**	30 ml
1 c. à thé	**graines de sésame, grillées**	5 ml

Pour la vinaigrette :

1 c. à thé	**huile d'olive**	5 ml
1 c. à thé	**tahini**	5 ml
1 c. à thé	**huile de sésame**	5 ml
1 c. à soupe	**tamari**	15 ml
1 c. à soupe	**jus de citron**	15 ml
1 c. à soupe	**vinaigre de riz**	15 ml
1/8 c. à thé	**gingembre moulu**	0,5 ml
au goût	**poivre**	

1 Faire griller les pignons et les graines de sésame dans une poêle quelques minutes à feu moyen. Attention, les graines de sésame ont tendance à sauter partout.

2 Faire cuire quelques minutes les pois mange-tout à la vapeur.

3 Mélanger tous les ingrédients de la salade dans un grand bol.

4 Préparer la vinaigrette et verser avant de servir.

En bas : salade orientale, en haut : salade espagnole.

salades

Salade grecque

La qualité de vos ingrédients vous guidera vers une salade explosive. La fraîcheur est de rigueur. Pour 4 personnes.

4	**tomates italiennes**	
1	**concombre**	
1/4	**oignon rouge**	
1 tasse	**fromage feta**	100 g
15	**olives noires kalamata**	

Pour la vinaigrette :

2 c. à soupe	**citron**	30 ml
1 c. à soupe	**huile d'olive**	15 ml
1/4 c. à thé	**basilic séché**	1 ml
1/4 c. à thé	**origan séché**	1ml
1/4 c. à thé	**persil séché**	1ml
au goût	**sel et poivre**	

1 Couper tous les ingrédients de la salade en dés.

2 Ajouter la vinaigrette. Laisser les saveurs se mélanger au moins 30 minutes avant de servir.

KALAMATA - L'olivier n'est-il pas un arbre noble? Il est vieux et nous donne un fruit divin. En Grèce, la région de Kalamata est reconnue pour ses bonnes olives très salées. On les fait tremper quelques mois dans la saumure avant de les faire voyager autour du monde.

Salade au soupçon d'orange

Pour 4 personnes. Si vous n'arrivez pas à trouver de roquette à votre épicerie, vous pouvez la remplacer par un mélange de salade mesclun.

5 tasses	**roquette**	1,25 l
2	**endives**	
1	**avocat**	
1	**orange**	
5	**olives noires**	
1/2 tasse	**concombre**	125 ml
1 c. à soupe	**graines de sésame**	15 ml

Pour la vinaigrette :

1 c. à thé	**tahini**	5 ml
1 c. à soupe	**citron**	15 ml
1/2 c. à thé	**vinaigre de vin blanc**	2,5 ml
1/2 c. à thé	**tamari**	2,5 ml
1/2 c. à thé	**huile de sésame**	2,5 ml
1 pincée	**gingembre moulu**	
au goût	**sel et poivre**	

1 Dans un saladier, déposer la roquette, les endives, l'avocat en lanières, l'orange coupée en suprêmes, les olives tranchées, le concombre en dés et les graines de sésame que vous aurez fait griller quelques minutes dans une poêle.

2 Mélanger tous les ingrédients de la vinaigrette ensemble. Verser sur la salade.

ROQUETTE - On l'appelle aussi aragula. La roquette peut-être très forte selon sa maturité. C'est une laitue qui a beaucoup de goût.

Salade de riz sauvage

On peut facilement préparer le riz sauvage d'avance. On pourra ajouter les autres ingrédients quelques minutes avant de servir. L'huile de sésame est primordiale dans cette recette. Pour 4 personnes.

1 tasse	**riz sauvage**	250 ml
1/8 de tasse	**pignons**	30 ml
1/8 de tasse	**amandes effilées**	30 ml
2	**tomates**	
1 filet	**huile de sésame**	
1 filet	**vinaigre balsamique**	
au goût	**sel et poivre**	

1 Dans un chaudron, faire cuire le riz sauvage environ une heure dans une grande quantité d'eau salée. Égoutter.

2 Faire griller les pignons et les amandes quelques minutes dans une poêle à feu moyen.

3 Épépiner et couper les tomates en dés. Mélanger tous les ingrédients dans un saladier en ajoutant l'huile, le vinaigre, le sel et le poivre.

VINAIGRE BALSAMIQUE - Originaire de Modène en Italie, il y a de nombreuses qualités de vinaigre balsamique. Tout le monde n'a pas les moyens de s'acheter une petite bouteille de vinaigre vieux de 15 ans. On choisit celui qui nous convient.

En bas : salade de riz sauvage, au centre : salade de couscous, en haut : taboulé.

Salade de couscous

Les enfants raffolent de cette salade. Leurs goûts préférés sont rassemblés dans le même plat. Et les petits grains de couscous sautillent dans la bouche. Pour 4 personnes.

1 tasse	**couscous**	250 ml
1 tasse	**jus de tomate**	250 ml
1	**concombre, épépiné et coupé en dés**	
2	**échalotes**	
1/2	**poivron vert, coupé en dés**	
1/2 tasse	**persil frais, haché**	125 ml
2 c. à soupe	**jus de citron**	30 ml
2 c. à soupe	**huile d'olive**	30 ml
au goût	**sel et poivre**	

1 Mélanger tous les ingrédients ensemble.

2 Réserver au réfrigérateur le temps que les grains de couscous se gorgent de jus et de saveurs. Servir.

Taboulé

Voici une version personnelle de ce grand classique, avec une présence accrue du savoureux boulgour. On l'aime à l'état pur, avec beaucoup de citron. Pour 4 personnes.

1/2 tasse	**boulgour**	125 ml
6 tasses	**persil frais**	1,5 l
2	**tomates, hachées finement**	
1/2	**oignon, haché finement**	
	le jus d'un citron	
2 c. à soupe	**huile d'olive**	30 ml
au goût	**sel et poivre**	

1 Faire tremper le boulgour dans une bonne quantité d'eau une quarantaine de minutes.

2 Pendant ce temps, hacher le persil au robot culinaire. L'ajouter au reste des ingrédients, en terminant par le boulgour gonflé et égoutté.

BOULGOUR - Il y a autant de façons d'écrire le mot que de façons de l'apprêter. Les libanais l'utilisent surtout dans le fameux taboulé. Le boulgour est un blé concassé qu'on laisse tremper dans l'eau pour le faire gonfler.

Salade divine

Voici la recette d'une salade qui suscite toujours des oh... et des ah... Chaque bouchée est un trésor. Pour 4 personnes.

1	**laitue frisée**	
1 tasse	**haricots verts frais**	250 ml
2	**échalotes, coupées en morceaux**	
1	**tomate, coupée en dés**	
1/2	**concombre, coupé en dés**	
8	**olives kalamata, coupées en morceaux**	
1/4 de tasse	**feta, coupé en cubes**	25 g
1/4 de tasse	**parmesan frais, râpé**	60 ml
1/8 de tasse	**noix, grillées**	30 ml

Pour la vinaigrette :

2 c. à thé	**moutarde de Dijon**	10 ml
1/4 de tasse	**huile d'olive**	60 ml
1/8 de tasse	**vinaigre balsamique**	30 ml
1/8 de tasse	**vinaigre de cidre**	30 ml
1 pincée	**herbes de Provence**	
au goût	**sel et poivre**	

1 Faire griller les noix dans une poêle quelques minutes à feu moyen. J'aime bien oser un mélange de graines de sésame, de graines de tournesol, d'amandes effilées et de noix de pin.

2 Faire cuire les haricots quelques minutes à la vapeur.

3 Mélanger tous les ingrédients dans un grand saladier.

4 Pour la vinaigrette, ajouter graduellement l'huile à la moutarde de Dijon en brassant constamment. Incorporer le reste des ingrédients. Verser sur la salade.

Salade croustillante

Vous allez découvrir avec cette salade les croustilles de parmesan, dont vous ne pourrez plus vous passer. Pour 4 personnes.

1 tasse	**parmesan frais, râpé**	250 ml
	paprika	
1/2 sac (4 oz)	**épinards**	115 g
1 c. à soupe	**graines de sésame, grillées**	15 ml
1 tasse	**pois surgelés**	250 ml
1 tasse	**fèves germées**	250 ml
2	**échalotes, coupées en rondelles**	

Pour la vinaigrette :

2 c. à thé	**moutarde de Dijon**	10 ml
4 c. à thé	**huile d'olive**	20 ml
1 c. à soupe	**vinaigre balsamique**	15 ml
1 c. à thé	**sirop d'érable**	5 ml
1/2	**gousse d'ail, pressée**	

1 Sur une tôle à biscuits, faire une dizaine de petits monticules de parmesan frais râpé et saupoudrer de paprika. Faire cuire au four à 500 °F (260 °C) quelques minutes le temps que le fromage se transforme en croustilles de parmesan.

2 Faire rôtir les graines de sésame dans une poêle et faire ramollir les petits pois à la vapeur.

3 Mélanger tous les ingrédients dans un saladier. Ajouter les croustilles de parmesan dans la salade et napper de la vinaigrette.

Salade d'avocat

L'avocat donne toute la richesse à cette salade.
Et il se marie parfaitement au goût du pamplemousse.
Pour 4 personnes.

1	**avocat**	
1 c. à soupe	**jus de citron frais**	15 ml
1	**pamplemousse rose**	
2	**échalotes, coupées en rondelles**	
6	**asperges fraîches, coupées en morceaux**	
1	**laitue raddichio**	

Pour la vinaigrette :

1 c. à thé	**moutarde de Dijon**	5 ml
1 c. à soupe	**huile d'olive**	15 ml
2 c. à thé	**vinaigre balsamique**	10 ml
1 c. à thé	**miel**	5 ml
1/2	**gousse d'ail, pressée**	

1 Couper l'avocat en lanières et l'arroser de citron pour l'empêcher de noircir.

2 Faire cuire les asperges quelques minutes à la vapeur.

3 Couper le pamplemousse en morceaux, en ne gardant que sa chair.

4 Mélanger tous les ingrédients dans un saladier. Ajouter la vinaigrette avant de servir.

RADDICHIO - Petite boule de laitue rouge et blanche compacte. De la famille de la chicorée. C'est une laitue amère qui se conserve très bien.

Salade de coeurs de palmier

Voici une recette de salade originale et délicieuse.
Les coeurs de palmier sont à leur meilleur.
Pour 4 personnes.

1 boîte	**coeurs de palmier**	398 ml
1 1/2 tasse	**haricots verts**	375 ml
2	**tomates, coupées en dés**	
1/2 tasse	**olives noires en tranches**	125 ml
1 c. à soupe	**mayonnaise**	15 ml
1 c. à soupe	**vinaigre de cidre**	15 ml
1 c. à soupe	**huile d'olive**	15 ml
au goût	**basilic frais ou séché**	

1 Couper les coeurs de palmier en rondelles.

2 Faire cuire les haricots verts à la vapeur quelques minutes et les couper en deux. Ajouter le reste des ingrédients dans un saladier avant de servir.

VINAIGRE DE CIDRE - Il a des vertus antioxydantes. C'est un jus de pomme qui vieillit en fut de chêne. On l'aime pour son goût fruité.

Salade de pâtes et choux de Bruxelles

Une belle façon de redécouvrir les choux de Bruxelles,
qui sont savoureux. Pour 4 personnes.

300 g	**pâtes**	300 g
15	**choux de Bruxelles**	
1	**courgette, coupée en dés**	
1/4	**oignon, haché**	
1	**tomate, épépinée et coupée en dés**	
1	**carotte, râpée**	
2 c. à soupe	**mayonnaise**	30 ml
1 c. à soupe	**huile d'olive**	15 ml
1/2 c. à thé	**cari**	2,5 ml
1 pincée	**herbes de Provence**	
au goût	**sel et poivre**	

1 Dans un chaudron d'eau bouillante salée, faire cuire les pâtes une dizaine de minutes avant de les égoutter et les rincer à l'eau froide. Utiliser des pâtes visuellement intéressantes, comme les pâtes torsadées (voir la photo) ou les rotinis.

2 Faire cuire les choux de Bruxelles coupés en deux à la vapeur.

3 Mélanger tous les ingrédients dans un saladier et servir.

En bas : salade de pâtes et choux de Bruxelles, en haut : salade de pâtes au pesto.

Salade de pâtes au pesto

Voici une recette très facile qui fera saliver les enfants.
Elle est encore meilleure avec des pennes de blé inté-
gral. Chaude ou froide, cette salade est tout
aussi bonne. Pour 4 à 6 personnes.

450 g	**pâtes penne**	450 g
3 c. à soupe	**pesto**	45 ml
1/2 tasse	**parmesan frais, râpé**	125 ml

Pour le pesto :

50 feuilles	**basilic frais**	
10 feuilles	**épinard**	
2	**gousses d'ail**	
1/4 de tasse	**pignons, grillés**	60 ml
1/4 de tasse	**parmesan frais, râpé**	60 ml
1/2 c. à thé	**sel**	2,5 ml
1 tasse	**huile d'olive de qualité**	250 ml
au goût	**poivre**	

1 Faire cuire les penne une dizaine de minutes dans un
chaudron d'eau bouillante salée. Égoutter. Ajouter le
pesto, saupoudrer de parmesan frais râpé et brasser.

2 Pour le pesto, déposer tous les ingrédients dans le
robot culinaire, sauf l'huile. Ajouter l'huile en filet en
lui laissant le temps de pénétrer le mélange.

Pour la conservation : vous pouvez mettre le pesto
dans des petits pots de plastique d'environ 1/2 tasse
(125 ml), les recouvrir d'huile et les mettre au con-
gélateur jusqu'à utilisation. Je fais du pesto une fois
par année à la fin de l'été avec le basilic frais. C'est
une belle réserve pour l'année.

PESTO - Magique mélange qui nous vient
de l'Italie. Le mot pesto veut dire broyé.
Au départ, on écrasait les ingrédients au
mortier.

Salade russe

Voici une nouvelle version de la salade russe. La sauce crémeuse est allégée par la crème sure légère.

3 tasses	**pommes de terre**	750 ml
1 tasse	**carottes en dés**	250 ml
1 tasse	**pois surgelés**	250 ml
1 tasse	**maïs surgelé**	250 ml
2	**oeufs durs, coupés en tranches**	
1/4 de tasse	**olives vertes en morceaux**	60 ml

Pour la sauce :

1/8 de tasse	**crème sure légère**	30 ml
1/8 de tasse	**mayonnaise**	30 ml
1/8 de tasse	**parmesan frais, râpé**	30 ml
1 c. à thé	**moutarde de Dijon**	5 ml
2 c. à thé	**vinaigre**	10 ml
au goût	**sel et poivre**	

1 Faire bouillir les pommes de terre une vingtaine de minutes avant d'égoutter, de laisser refroidir et de couper en dés.

2 Faire cuire les carottes, les pois et le maïs quelques minutes à la vapeur.

3 Mettre tous les ingrédients dans un saladier avec la sauce. Attendre un peu avant de servir, si vous en êtes capable...

Salade tiède aux patates

La moutarde joue un rôle de premier plan dans cette recette savoureuse. N'hésitez pas à doubler la recette. Pour 2 à 4 personnes.

1 c. à soupe	**huile d'olive**	15 ml
1/4	**oignon, haché**	
1	**gousse d'ail**	
1	**carotte, coupée en dés**	
1	**pomme de terre, coupée en dés**	
1 tasse	**chou-fleur**	250 ml
1	**courgette, coupée en dés**	
1 poignée	**fèves germées**	
3 c. à soupe	**moutarde préparée**	45 ml
au goût	**sel et poivre**	

1 Dans une grande poêle, faire revenir l'oignon et l'ail dans l'huile, puis la carotte et la pomme de terre.

2 À feu bas, ajouter le chou-fleur en petits morceaux et une première cuillerée de moutarde. Continuer la cuisson. Au moment d'ajouter la courgette, déposer une autre cuillerée de moutarde.

3 Faire la même chose en fin de cuisson avec les fèves germées et la dernière portion de moutarde.

4 Servir lorsque les pommes de terre sont encore légèrement croquantes.

En bas : salade tiède aux patates, en haut : salade russe.

Salade à la mangue

La qualité des ingrédients fait vraiment le succès de cette salade. Facile et juteuse à souhait. Pour 2 à 4 personnes.

1 1/2 tasse	**mangues bien mûres**	375 ml
1 1/2 tasse	**tomates**	375 ml
1/4	**oignon rouge, coupé en lanières**	
2 c. à thé	**vinaigre balsamique**	10 ml
1 c. à thé	**huile olive**	5 ml
1 c. à soupe	**coriandre fraîche**	15 ml
au goût	**sel et poivre**	

1 Mettre les mangues et les tomates coupées en dés dans un saladier. Ajouter le reste des ingrédients et mélanger.

Laisser le temps aux saveurs de se marier avant de servir.

CORIANDRE - La coriandre est une herbe au goût unique, très utilisée dans la cuisine asiatique. On l'appelle parfois le persil chinois.

En bas : salade à la mangue, en haut : salade de pain.

Salade de pain

L'idée d'une salade de pain peut paraître surprenante,
mais le résultat est un délice. Pour 2 à 4 personnes.

2 tasses	**pain baguette**	500 ml
3	**tomates italiennes, épépinées**	
1	**concombre**	
1/4	**oignon rouge, coupé en dés**	
1	**gousse d'ail, pressée**	
10 feuilles	**basilic frais**	
3 c. à soupe	**vinaigre de vin blanc**	45 ml
1 c. à soupe	**huile d'olive**	15 ml
au goût	**sel et poivre**	

1 Prendre un bon pain baguette, le couper en tranches
et le faire dorer au grille-pain. Couper les tranches en
morceaux et réserver.

2 Couper tous les autres ingrédients et les mélanger
dans un saladier. Ajouter les croûtons de pain
quelques minutes avant de servir la salade pour
qu'ils restent croustillants.

Salade de courge spaghetti

On peut préparer cette salade avec un reste de courge spaghetti. On peut aussi en faire cuire une pour l'occasion. Dans ce cas, la préparation sera un peu plus longue. Pour 2 à 4 personnes.

4 tasses	**courge spaghetti**	1 litre
	tamari	
1 pincée	**herbes de Provence**	
1/2 paquet	**champignons tranchés**	115 g
1/2	**courgette, coupée en dés**	
1	**tomate italienne**	
1/2 tasse	**feta**	50 g
5	**olives noires**	
2	**échalotes**	
1 filet	**huile d'olive**	
1 c. à thé	**vinaigre balsamique**	5 ml

1 Couper la courge spaghetti en deux. La faire cuire au four à 400 °F (200 °C) une quarantaine de minutes. Une fois cuite, détacher les filaments de la courge à la fourchette en grattant.

2 Faire revenir la courgette et les champignons dans une poêle avec un peu d'huile d'olive. Réserver. Faire revenir de la même façon la chair de la courge spaghetti avec une pincée d'herbes de Provence et un soupçon de tamari.

3 Couper la tomate, le feta, les olives et les échalotes en morceaux. Mettre tous les ingrédients dans un saladier. Ajouter un filet d'huile d'olive et le vinaigre balsamique. Servir tiède ou froid.

Salade mandoline

Pour les amateurs de légumes croquants. Si vous
n'avez pas de mandoline, vous pouvez toujours
couper les légumes en tranches très minces au couteau.
Pour 4 personnes.

2	**carottes**	
1	**concombre**	
1 tasse	**chou**	250 ml
1 tasse	**luzerne**	250 ml
3 c. à soupe	**jus de citron frais**	45 ml
1 c. à soupe	**vinaigre**	15 ml
1 c. à soupe	**huile d'olive**	15 ml
au goût	**sel et poivre**	

1 Dans un bol à salade, mélanger carottes, concombre
et chou coupés à la mandoline.

2 Ajouter le reste des ingrédients et servir.

VINAIGRE ET HUILE - Je préfère
verser le vinaigre avant l'huile
car il adhère mieux aux aliments
non huilés, particulièrement les
laitues.

En bas : salade mandoline, en haut : salade de courge spaghetti.

Salade à la chicorée

La laitue chicorée vous offrira l'amertume et le croquant qui se mêlera parfaitement au soupçon sucré de la vinaigrette.

5 tasses	**chicorée frisée**	1,25 l
1/3 de tasse	**oignon rouge en fines lanières**	75 ml
1/4 de tasse	**amandes effilées**	60 ml
1 tasse	**pois mange-tout**	250 ml
1/4 de tasse	**olives vertes en morceaux**	60 ml
1	**tomate, coupée en dés**	
1/4 de tasse	**parmesan frais, râpé**	60 ml

Pour la vinaigrette :

1 c. à thé	**moutarde de Dijon**	
1/4 de tasse	**huile d'olive**	60 ml
1/2 c. à soupe	**vinaigre balsamique**	7,5 ml
1 c. à soupe	**vinaigre de cidre**	15 ml
1	**jaune d'oeuf cuit dur**	
1 c. à thé	**miel**	5 ml
2	**cornichons sucrés, coupés en dés**	
1 pincée	**d'origan séché**	
au goût	**sel et poivre**	

1 Faire griller les amandes quelques minutes dans une poêle à feu moyen.

2 Faire ramollir les pois mange-tout quelques minutes à la vapeur.

3 Dans un grand bol, mélanger tous les ingrédients de la salade.

4 Préparer la vinaigrette en ajoutant à la moutarde l'huile d'olive en filet, puis le reste des ingrédients.

Salade au bleu

Pour les gens qui aiment le fromage bleu, cette salade est divine. Même les gens qui ne sont pas friands du fromage bleu y trouveront leur compte. Pour 4 personnes.

1	laitue raddichio	
1 sac (8 oz)	épinards	227 g
2	poires Anjou rouges	
1/2 tasse	pacanes, grillées	125 ml

Pour la vinaigrette :

1/2 tasse	fromage bleu gorgonzola	50 g
2 c. à soupe	jus de citron	30 ml
1/4 de tasse	huile d'olive	60 ml
au goût	poivre	

1 Faire griller les pacanes quelques minutes dans une poêle avec un peu d'huile à feu moyen.

2 Mêler les pacanes au raddichio, aux épinards et aux poires coupées en tranches dans un saladier.

3 Mélanger les ingrédients de la vinaigrette ensemble. Si elle n'est pas assez liquide, vous pouvez ajouter 1 ou 2 cuillerées d'eau. Assurez-vous que le fromage bleu est bien émietté. Verser sur la salade avant de servir.

PLATS PRINCIPAUX

Dans la cuisine végétarienne, les plats de résistance sont très polyvalents et très variés. Vous passerez des omelettes aux ragoûts, en passant par les pâtes, les sandwichs et les plats cuisinés avec du tofu. Autant d'idées rapides pour remplir la panse de vos petits affamés. Vite fait et bien fait!

Pour la résistance

Tarte aux lentilles

Vous serez surpris de constater à quel point cette tarte
a du tonus et se tient bien. Pour 4 personnes.

1	**fond de tarte**	
1 c. à soupe	**huile d'olive**	15 ml
1	**oignon, haché**	
1	**gousse d'ail, hachée**	
1	**carotte, coupée en dés**	
1 branche	**céleri, coupé en dés**	
1 boîte	**lentilles**	540 ml
1 boîte	**tomates italiennes**	398 ml
2 c. à soupe	**graines de sésame**	30 ml
2 c. à soupe	**câpres**	30 ml
1/2 c. à thé	**sariette**	2,5 ml
3/4 de tasse	**fromage cheddar fort râpé**	75 g

1 Dans une poêle, faire revenir l'oignon, puis l'ail dans
l'huile.

2 Ajouter graduellement le reste des ingrédients en les
faisant revenir à feu moyen. Laisser réduire. Verser
dans le fond de tarte. Étendre le fromage râpé.

3 Faire cuire une vingtaine de minutes à 350 °F (175 °C).

À gauche et à droite : tarte aux lentilles,
au centre : tarte à l'oignon.

Tarte à l'oignon

Pour 4 personnes. Une tarte dont le goût est très relevé.
Servir avec une salade verte bien vinaigrée.

1	**fond de tarte**	
1 c. à soupe	**moutarde de Dijon**	15 ml
1 c. à soupe	**huile d'olive**	15 ml
1	**oignon espagnol**	
1	**gousse d'ail**	
1	**tomate, coupée en tranches**	
3/4 de tasse	**fromage suisse râpé**	75 g

1 Badigeonner le fond de tarte de moutarde de Dijon.

2 Dans une poêle, faire revenir à feu assez élevé
l'oignon espagnol en lanières et la gousse d'ail
hachée. Laisser caraméliser un peu. Déposer dans la
tarte.

3 Ajouter les tranches de tomate sur le dessus et ensuite
le fromage. Faire cuire au four à 350 °F (175 °C) une
vingtaine de minutes. Faire dorer le fromage en fin
de cuisson.

Sandwich aux légumes grillés

Pour 2 personnes. Un sandwich qui a du caractère.

2	**pains kaiser**	
au goût	**moutarde de Dijon**	
2	**courgettes**	
2 tranches	**oignon rouge**	
1/4 de tasse	**fromage de chèvre crémeux**	50 g
6	**champignons, tranchés**	
au goût	**luzerne**	
1	**tomate, coupée en tranches**	

1 Couper les courgettes en tranches minces dans le sens de la longueur. Les déposer sur une tôle à biscuits avec un peu d'huile d'olive. Réserver une petite place pour les tranches d'oignon rouge. Mettre sur la grille du haut à 500 °F (260 °C). Tourner les légumes à mi-cuisson. Bien les surveiller pour ne pas qu'ils brûlent.

2 Pendant ce temps, trancher les pains kaiser. Étendre sur chacun de la moutarde de Dijon, le fromage de chèvre, les tranches de tomate et la luzerne.

3 Faire revenir dans une poêle les champignons et les déposer dans les sandwichs en même temps que les courgettes et les oignons. S'assurer que les courgettes sont déposées sur le fromage de chèvre pour que ce soit bien fondant.

Sandwich western coulant

Enceinte de mes enfants, je pouvais facilement engloutir deux de ces sandwichs, et me retenir pour ne pas m'en cuisiner un troisième. Les puristes qui ont horreur du fromage jaune en tranches pourront opter pour un fromage de type cheddar.

pain baguette

moutarde de Dijon

salade mesclun

tomate, coupée en tranches

oignon rouge, coupé en tranches

fromage jaune

1 œuf par personne

1 Couper un généreux morceau de pain baguette par personne et le vider de sa mie. Étendre sur chacun de la moutarde de Dijon, de la salade mesclun, une tranche d'oignon rouge, quelques tranches de tomate et une tranche de fromage jaune. Mettre au four à 300 °F (150 °C) quelques minutes.

2 Pendant ce temps, faire cuire les œufs au miroir dans une poêle avec un peu d'huile. Déposer un œuf par sandwich. La première bouchée fera exploser le jaune d'œuf et rendra votre sandwich coulant.

En bas : sandwich western coulant,
en haut : sandwich aux légumes grillés.

Quiche au riz

Pour les gens qui sont moins friands des pâtes feuilletées.

Pour la croûte :

1 tasse	**riz basmati**	250 ml
2 tasses	**eau**	500 ml
1 noix	**beurre**	
1	**œuf**	

Pour la garniture :

2 c. à soupe	**beurre**	30 ml
2 c. à soupe	**farine**	30 ml
1 tasse	**lait**	250 ml
1 c. à soupe	**huile d'olive**	15 ml
1	**oignon, haché**	
1	**gousse d'ail, hachée**	
1	**courgette, coupée en dés**	
1/2 paquet	**champignons tranchés**	115 g
1 tasse	**brocoli**	250 ml
1/2 c. à thé	**sel**	2,5 ml
au goût	**poivre**	
3/4 de tasse	**cheddar fort râpé**	75 g
6	**pointes d'asperges**	

1 Faire cuire le riz dans l'eau 15 minutes au micro-ondes, avec une noix de beurre, et laisser refroidir. Ajouter l'œuf et former une croûte dans le fond d'une assiette à tarte.

2 Faire une béchamel au micro-ondes en faisant fondre le beurre avec la farine 30 secondes, puis incorporer le lait. Chauffer 6 à 7 minutes le temps que la sauce épaississe, en brassant régulièrement.

3 Dans une poêle, faire revenir les légumes dans l'huile, sauf les asperges qu'on peut faire ramollir quelques minutes à la vapeur. Mélanger les légumes à la béchamel et déposer dans la croûte. Ajouter le cheddar râpé, puis les pointes d'asperges en guise de décoration. Faire cuire à 350 °F (175 °C) une vingtaine de minutes.

Quiche aux épinards

Une recette facile qui peut-être préparée d'avance. Un excellent repas à consommer sur le pouce accompagné d'une salade.

1	**fond de tarte du commerce**	
3/4 de tasse	**épinards, cuits**	180 ml
1 tasse	**brocoli**	250 ml
1/8 de tasse	**pignons, grillés**	30 ml
2	**œufs**	
1 tasse	**fromage ricotta**	250 ml
1/4 de tasse	**oignon, haché**	60 ml
1	**gousse d'ail, pressée**	
1/2 c. à thé	**sel**	2,5 ml
au goût	**poivre**	
1/3 de tasse	**parmesan râpé**	75 ml

1 Faire cuire les épinards et le brocoli à la vapeur quelques minutes. Bien essorer les épinards.

2 Faire griller les pignons à sec dans une poêle à feu moyen.

3 Mélanger tous les ingrédients dans un bol, avant de déposer dans le fond de tarte. Saupoudrer du parmesan. Faire cuire une vingtaine de minutes à 400 °F (200 °C).

Sandwich pita au tofu

Le tofu et la courgette forment un couple intéressant.
Pour un midi pressé, en amoureux.

2	**pains pita**	
1 c. à thé	**huile d'olive**	5 ml
1/2 bloc	**tofu, coupé en juliennes**	225 g
1/2	**courgette, coupée en juliennes**	
2 c. à thé	**tamari**	10 ml

Pour la sauce :

1/2 tasse	**concombre, épépiné**	125 ml
3 c. à soupe	**crème sure**	45 ml
1/4 tasse	**cornichons sucrés**	60 ml
1 pincée	**aneth**	
au goût	**sel et poivre**	

1 Dans une poêle, faire revenir le tofu et la courgette
coupés en petits morceaux dans l'huile d'olive avec le
tamari. Réserver.

2 Mélanger les ingrédients de la sauce ensemble. En
garnir l'intérieur des pains pita, avant d'ajouter le
tofu et la courgette.

**En bas : sandwich pita au tofu,
en haut : croque bagel.**

Croque bagel

Pour les jours où les minutes sont comptées. Servi avec une salade, ça fait bien le travail.

1 bagel par personne

tofu

tamari

ail

oignon

champignons

tomates

fromage vacherin des Bois-francs en tranches

paprika pour garnir

1 Selon le nombre de personnes, couper les bagels en deux. Sur chacun des morceaux, déposer une épaisse tranche de tofu qu'on aura fait rôtir quelques minutes dans l'huile avec un peu de tamari à feu élevé.

2 Dans la même poêle, faire sauter un mélange au goût d'ail, d'oignon, de champignons et de tomates qu'on viendra déposer sur le tofu.

3 Garnir chaque croque bagel d'une tranche de vacherin des Bois-francs, disponible en épicerie déjà tranché.

4 Saupoudrer de paprika avant de faire gratiner au four.

Omelette au chou-fleur

Une recette d'omelette facile et différente. Quelques ingrédients et le tour est joué. Servir avec une bonne salade. Pour 4 personnes.

1 1/2 tasse	**chou-fleur, bien cuit**	375 ml
4	**œufs**	
1/2	**oignon, haché**	
1 c. à thé	**tamari**	5 ml
1 c. à thé	**sel**	5 ml
1/4 c. à thé	**cari**	1 ml
au goût	**poivre**	

1 Faire cuire le chou-fleur à la vapeur avant de le réduire pratiquement en miettes.

2 Dans une poêle, faire revenir l'oignon dans un peu d'huile. Ajouter le chou-fleur et le tamari.

3 Battre les œufs dans un bol avec le cari, le sel et le mélange de chou-fleur. Faire cuire l'omelette à feu moyen d'un seul côté en mettant un couvercle en fin de cuisson pour faire cuire le dessus.

Omelette aux trois haricots

Une omelette aussi belle à regarder que bonne à manger. Pour 4 personnes.

1 c. à thé	**huile d'olive**	5 ml
1	**gousse d'ail**	
1/4	**oignon espagnol, haché**	
1/2	**poivron rouge**	
1/2 tasse	**haricots noirs en boîte**	125 ml
1/2 tasse	**pois chiches en boîte**	125 ml
1/2 tasse	**haricots rouges en boîte**	125 ml
4	**œufs**	
au goût	**sel et poivre**	

1 Dans une poêle, faire dorer l'oignon, le poivron en dés, puis l'ail dans l'huile.

2 Dans un bol, mélanger les haricots aux œufs battus. Assaisonner et incorporer les légumes cuits.

3 Faire cuire l'omelette dans une poêle avec un peu d'huile, à feu moyen.

Omelette aux trois haricots et omelette au chou-fleur.

Club sandwich

Pour 4 personnes avec une grosse faim. Servir avec de
bonnes frites maison.

12 tranches	**pain de blé entier**	
	moutarde de Dijon	
1/2 tasse	**cheddar râpé**	50 g
1/4 de tasse	**fromage de chèvre**	50 g
4 tranches	**oignon rouge**	
1	**tomate, coupée en tranches**	
	laitue au choix	
4 tranches	**tofu**	

Pour la marinade :

1 c. à soupe	**tamari**	15 ml
1 c. à soupe	**huile**	15 ml
1 c. à soupe	**vinaigre balsamique**	15 ml
1	**gousse d'ail, pressée**	
1/4 c. à thé	**cari**	1 ml
au goût	**poivre**	

1 Faire tremper le tofu dans la marinade une vingtaine
de minutes avant de le faire griller dans une poêle à
feu élevé.

2 Entre deux tranches de pain grillé, mettre le tofu
chaud entre le fromage cheddar et le fromage de
chèvre, pour que les fromages soient bien fondus.

3 Entre les deux autres tranches de pain, ajouter le
reste des ingrédients. Couper en quatre. Faire tenir
avec des cure-dents.

Tomate farcie aux œufs

Un mélange de saveurs irrésistible. On oublie souvent que les œufs et les tomates vont très bien ensemble. Servir avec un bon pain. Pour 4 personnes.

4 grosses	**tomates**	
4	**œufs**	
1 c. à soupe	**huile d'olive**	15 ml
2	**gousses d'ail, hachées finement**	
2	**échalotes françaises, hachées finement**	
	paprika	

1 Décalotter les tomates à l'aide d'un couteau, en coupant vers le cœur. Enlever suffisamment de tomate pour que l'œuf puisse s'y loger. Si la tomate ne tient pas bien à la verticale, on peut aussi couper une mince couche en dessous de la tomate.

2 Dans une poêle, faire revenir l'oignon, puis l'ail dans l'huile à feu moyen. Une fois caramélisés, asseoir les tomates sur le lit d'oignon et d'ail. Laisser cuire à feu moyen 5 minutes.

3 Casser les œufs dans le creux des tomates. Couvrir et poursuivre la cuisson jusqu'à ce que les œufs soient à votre goût.

Œufs durs aux lentilles

Servir avec une bonne salade ou un bon riz collant que vous pourrez tremper dans la sauce. Pour 4 personnes.

4	**œufs**	
1/4 de tasse	**lentilles du Puy**	60 ml
1 c. à soupe	**huile d'olive**	15 ml
1	**gousse d'ail**	
1/2	**oignon**	
1	**tomate**	
1 tasse	**lait de coco**	250 ml
1/4 c. à thé	**cari**	1 ml
1/4 c. à thé	**paprika**	1 ml
1/4 c. à thé	**gingembre**	1 ml
au goût	**sel et poivre**	

1 Faire cuire les œufs dix minutes façon « à la coque ». En profiter également pour faire cuire les lentilles une quinzaine de minutes dans un chaudron d'eau bouillante.

2 Dans une poêle, faire ramollir l'ail et l'oignon hachés dans l'huile. Ajouter le reste des ingrédients, dont les lentilles cuites. Déposer les œufs coupés en deux sur le mélange de lentilles.

Frittata

Cette omelette de pâtes est nourrissante et offre une texture un peu différente des omelettes habituelles. Excellente recette pour utiliser un reste de pâtes. Pour 4 personnes.

1 c. à soupe	**huile d'olive**	15 ml
1	**gousse d'ail, pressée**	
3 tasses	**spaghettis de blé entier, cuits**	750 ml
1 c. à thé	**tamari**	5 ml
1	**oignon**	
1/2	**poivron rouge**	
4	**œufs**	
1 c. à thé	**sel**	5 ml
au goût	**poivre**	

1 Dans une poêle, faire revenir les spaghettis cuits dans l'huile avec l'ail et le tamari. Réserver.

2 Faire revenir l'oignon et le poivron coupés en dés quelques minutes. Réserver.

3 Dans un bol, battre les œufs avant d'ajouter le mélange de pâtes et de légumes. Faire cuire la frittata comme une omelette dans une poêle à feu moyen.

Pizza garnie

En formule pita, la pizza devient un jeu d'enfant.
Plus besoin de se casser la tête pour confectionner une
pizza. Pour 4 personnes.

4	**pains pita**	
1 tasse	**sauce tomate du commerce**	250 ml
1 c. à soupe	**huile d'olive**	15 ml
1/2 bloc	**tofu**	225 g
1	**oignon, haché**	
1	**courgette, coupée en dés**	
2	**carottes, coupées en dés**	
1	**poivron rouge**	
1 tasse	**cheddar fort râpé**	100 g
1 tasse	**fromage havarti râpé**	100 g
	paprika	

1 Dans une poêle, à feu élevé, faire rôtir quelques
minutes dans l'huile, le tofu coupé en dés, puis
ajouter l'oignon, la courgette, les carottes, et le
poivron.

2 Pendant ce temps, répartir la sauce tomate sur
les pains pita, puis le mélange de légumes et les
fromages râpés. Saupoudrer de paprika et enfourner
à 400 °F (200 °C) une quinzaine de minutes.
Petit coup sous le gril en terminant pour faire
dorer le fromage.

**En bas : pizza garnie,
en haut à gauche : pizza 4 fromages,
en haut à droite : pizza pesto.**

Pizza 4 fromages

Pour les mordus de fromage. Choisir une sauce tomate du commerce de qualité. Pour 4 personnes.

4	**pains pita**	
1 tasse	**sauce tomate aromatisée**	250 ml
3/4 de tasse	**cheddar fort râpé**	75 g
3/4 de tasse	**fromage havarti râpé**	75 g
1/2 tasse	**fromage de chèvre crémeux, en morceaux**	100 g
1/4 de tasse	**parmesan râpé**	60 ml
	paprika	

1 Répartir la sauce tomate sur les pains pita. Ajouter les fromages dans l'ordre. Saupoudrer de paprika.

2 Faire cuire au four une quinzaine de minutes à 400 °F (200 °C). Terminer la cuisson sous le gril pour faire dorer le fromage.

Pizza pesto

Pour 4 personnes. La meilleure pizza en ville. Et la plus facile en plus.

4 grandes	**tortillas**	
1/4 de tasse	**pesto** *(voir recette page 92)*	60 ml
2	**tomates**	
2 tasses	**cheddar fort rapé**	200 g
	paprika	

1 Répartir le pesto sur les tortillas. Utiliser du pesto du commerce si vous n'avez ni le temps ni les ingrédients pour le faire vous-même.

2 Ajouter des tranches de tomates très minces. Parsemer de fromage râpé. Saupoudrer de paprika.

3 Mettre au four une quinzaine de minutes à 400 °F (200 °C).

Burritos

Servir cette sauce dans des tortillas bien roulées, avec une généreuse portion de crème sure. Cochon!!!
Pour 4 personnes.

8	**tortillas**	
1 c. à soupe	**huile d'olive**	15 ml
1	**gousse d'ail**	
1	**oignon**	
1	**poivron rouge**	
1/2	**courgette**	
1 boîte	**tomates italiennes**	398 ml
1 boîte	**champignons**	284 ml
1 tasse	**haricots noirs en boîte**	250 ml
1 c. à thé	**herbes de Provence**	5 ml
au goût	**poivre**	

1 Dans une grande poêle, faire revenir l'ail et l'oignon hachés dans l'huile.

2 Ajouter le poivron et la courgette coupés en dés, puis le reste des ingrédients, dont les haricots noirs rincés et égouttés. Laisser mijoter une quinzaine de minutes à découvert, le temps de laisser réduire la sauce.

3 Servir dans les tortillas.

Mini-lasagnes

Voici une façon de faire des portions individuelles
de lasagne... sans sombrer sous le poids des calories.
Pour 4 personnes.

10 feuilles	**lasagne**	
1 c. à thé	**huile d'olive**	5 ml
1/2	**oignon, haché**	
1 tasse	**tomates italiennes en boîte**	250 ml
4 tranches	**tofu**	
au goût	**tamari**	
8	**champignons**	
4 tranches	**fromage brie**	
4 tranches	**tomate**	

1 Faire cuire les feuilles de lasagne (de préférence sans
rebords frisés) dans un chaudron d'eau bouillante
salée. Les égoutter et les couper en deux.

2 Pendant ce temps, dans un petit chaudron, faire
revenir l'oignon dans un peu d'huile et ajouter les
tomates en boîte.

3 Dans une poêle, faire griller les tranches de tofu dans
un peu d'huile, avec du tamari au goût. On peut faire
revenir les champignons juste à côté.

4 Dans une petite assiette pour chaque personne,
déposer un morceau de lasagne, la moitié des
champignons et de la sauce, lasagne à nouveau, la
tranche de tofu, lasagne, une tranche de tomate,
lasagne, la moitié des champignons et de la sauce,
lasagne, pour terminer avec le fromage brie et un
soupçon de sauce en garniture.

5 Mettre au four à 400 °F (200 °C) le temps que le
fromage soit fondu.

Ragoût de pois chiches

Pour 4 personnes. Le yogourt fait toute la différence dans ce ragoût. L'accompagner de la simplicité d'un riz blanc.

1 c. à soupe	**huile d'olive**	15 ml
2	**gousses d'ail, hachées**	
1	**oignon, haché**	
1/2 tasse	**navet, coupé en dés**	125 ml
1/2 tasse	**carottes, coupées en dés**	125 ml
1 boîte	**pois chiches**	540 ml
1 boîte	**tomates italiennes**	398 ml
20 feuilles	**épinard**	
1/2 tasse	**yogourt nature**	125 ml
1 c. à thé	**coriandre moulue**	5 ml
1/2 c. à thé	**curcuma moulu**	2,5 ml
1/2 c. à thé	**paprika**	2,5 ml
3 pincées	**cumin**	
au goût	**sel et poivre**	

1 Dans un grand chaudron, faire dorer l'ail et l'oignon, avant d'ajouter le navet et la carotte.

2 Incorporer graduellement le reste des ingrédients, dont les pois chiches rincés et égouttés.

3 Laisser mijoter une vingtaine de minutes et servir chaud.

Lentilles crémeuses

Pour 4 personnes. Les lentilles s'utilisent à toutes les sauces. En sauce crémeuse? Un régal.

1 1/2 tasse	**lentilles du Puy**	375 ml
1 c. à soupe	**huile d'olive**	15 ml
2	**gousses d'ail, hachées**	
1/2	**oignon, haché**	
1/2	**courgette, coupée en dés**	
1 boîte	**tomates italiennes**	398 ml
1/2 c. à thé	**garam masala**	2,5 ml
1/2 c. à thé	**cari**	2,5 ml
1/4 c. à thé	**herbes de Provence**	1 ml
3 c. à soupe	**fromage de chèvre crémeux**	45 ml

1 Faire cuire les lentilles dans une grande quantité d'eau pendant une quinzaine de minutes et égoutter. Dans une poêle, faire revenir l'ail, l'oignon et la courgette, avant d'ajouter les tomates, les lentilles et les épices. Incorporer le fromage quelques minutes avant de servir pour donner la substance crémeuse à ce plat de lentilles.

Lentilles au cumin

Si vous voulez utiliser du riz sauvage pour cette recette, faites-le cuire une cinquantaine de minutes dans l'eau bouillante. Si vous n'avez pas le temps, mettre le double de lentilles. Pour 4 personnes.

1/2 tasse	**lentilles du Puy**	125 ml
1/2 tasse	**riz sauvage, cuit**	125 ml
1 c. à soupe	**huile d'olive**	15 ml
1	**oignon, haché**	
1	**gousse d'ail, pressée**	
1	**carotte, coupée en dés**	
1/2	**poivron vert, coupé en dés**	
1	**courgette, coupée en dés**	
1 boîte	**tomates italiennes**	398 ml

En bas : lentilles au cumin, en haut : lentilles crémeuses.

1/2 c. à thé	**paprika**	2,5 ml
1/2 c. à thé	**sel**	2,5 ml
1/4 c. à thé	**gingembre moulu**	1 ml
1 c. à thé	**cumin moulu**	5 ml
1/2 tasse	**crème sure légère**	125 ml

1 Faire cuire les lentilles dans l'eau bouillante une quinzaine de minutes.

2 Dans un chaudron, faire revenir les légumes dans l'huile quelques minutes, avant d'ajouter les tomates, les épices, puis les lentilles et le riz. On peut verser 1/4 de tasse (60 ml) d'eau si le mélange est trop épais. Laisser mijoter une quinzaine de minutes. Ajouter la crème sure au moment de servir.

Ratatouille aux lentilles

En pleine saison, en fin d'été, vous en aurez assez pour régaler vos voisins. Voici une version spéciale avec des lentilles. Pour 8 personnes. Vous pourrez facilement couper la recette en deux.

3 c. à soupe	**huile d'olive**	45 ml
2	**gousses d'ail, hachées**	
1	**oignon, haché**	
4 tasses	**petites aubergines**	1 litre
4 tasses	**courgettes**	1 litre
4 tasses	**carottes**	1 litre
3/4 de tasse	**lentilles du Puy**	180 ml
1 boîte	**tomates italiennes**	796 ml
4	**tomates**	
1/2 tasse	**eau**	125 ml
1 c. à thé	**persil séché**	5 ml
1 c. à thé	**basilic séché**	5 ml
1/2 c. à thé	**origan séché**	5 ml
2	**feuilles de laurier**	
2 c. à thé	**sel**	10 ml

1 Coupez vos légumes en gros morceaux pour que ce soit agréable sous la dent.

2 Dans un chaudron, faire revenir l'ail et l'oignon dans l'huile, avant d'ajouter graduellement tous les autres ingrédients.

3 Laisser mijoter à feu moyen jusqu'à ce que les légumes soient à votre goût. Vous pouvez ajouter un peu d'eau si vous voulez une ratatouille plus juteuse.

PETITE AUBERGINE : ce qui est magique avec les petites aubergines, c'est qu'elles n'ont pas besoin d'être dégorgées. Vous aurez fait une bonne ratatouille en un rien de temps.

Chili sin carne

Pour 6 personnes. Voici une version végétarienne et personnelle de cette recette ensoleillée. Vous pouvez présenter ce chili dans une miche de pain, comme sur la photo.

1 c. à soupe	**huile d'olive**	15 ml
1	**gousse d'ail**	
1	**oignon**	
1	**carotte**	
1	**courgette**	
1 boîte	**tomates broyées avec purée**	796 ml
1 boîte	**haricots rouges**	540 ml
2 tasses	**maïs surgelé**	500 ml
1 1/2 tasse	**eau**	375 ml
1 c. à soupe	**sucre**	15 ml
1	**piment chili**	
1 c. à thé	**coriandre moulue**	5 ml
1 c. à thé	**persil séché**	5 ml
1 c. à thé	**basilic séché**	5 ml
1/2 c. à thé	**paprika**	2,5 ml

1 Dans un grand chaudron, faire sautiller l'ail et l'oignon hachés dans l'huile, suivi de la carotte et de la courgette coupées en dés. Ajouter graduellement le reste des ingrédients.

2 Laisser mijoter assez longtemps pour que les saveurs se mélangent. Servir.

Sauce à spaghetti

Une façon toute simple de s'initier au tofu. Les enfants n'y verront que du feu. Pour 6 à 8 personnes.

1 c. à soupe	**huile d'olive**	15 ml
1/2	**oignon espagnol**	
1/2	**courgette, coupée en dés**	
5	**gousses d'ail, hachées**	
1 c. à soupe	**sauce soya**	15 ml
1/3 de bloc	**tofu**	150 g
1 boîte	**pâte de tomates**	156 ml
1 boîte	**sauce tomate**	398 ml
1 boîte	**tomates italiennes**	796 ml
3	**carottes, coupées en dés**	
1 branche	**céleri, coupé en dés**	
1 c. à soupe	**sucre**	15 ml
5	**clous de girofle**	
1 pincée	**poivre de cayenne**	
1 pincée	**cannelle**	
3	**feuilles de laurier**	
au goût	**sel et poivre**	

1 Dans un chaudron, faire sauter l'oignon dans l'huile jusqu'à ce qu'il soit légèrement caramélisé.

2 Ajouter la courgette et l'ail, puis poursuivre la cuisson quelques minutes. Incorporer le tofu émietté à la fourchette et la sauce soya.

3 Attendre quelques minutes avant d'ajouter la pâte de tomates. Mélanger, puis ajouter la boîte de tomates italiennes, la sauce tomate et le reste des ingrédients.

4 Laisser mijoter à feu moyen le temps que les carottes s'attendrissent.

Tacos au tofu

Le genre de recette qu'on adore, et qui fait « crounch »
sous la dent. Pour 4 à 6 personnes.

	coquilles de tacos du commerce	
1 c. à soupe	**huile d'olive**	15 ml
1	**oignon**	
1	**gousse d'ail**	
1/2 bloc	**tofu**	225 g
1 tasse	**tomates, coupées en dés**	250 ml
6	**champignons, tranchés**	
1	**carotte, râpée**	
1/2	**courgette, râpée**	
1 c. à soupe	**graines de sésame, grillées**	15 ml
1 c. à soupe	**tamari**	15 ml

1 Dans une grande poêle, faire dorer l'oignon et l'ail
dans l'huile.

2 Ajouter le tofu émietté à la fourchette, les tomates, les
champignons, la carotte, la courgette et le tamari.
Terminer avec les graines de sésame qu'on aura
préalablement fait griller quelques minutes dans une
petite poêle.

3 Remplir les tacos de la préparation. On peut garnir de
cheddar râpé, de crème sure et de laitue avant de
manger.

Pâtes vertes

Pour 4 personnes. Les petits pois et le citron feront exploser vos pâtes de saveur.

450 g	**pâtes fusilli**	450 g
1 c. à soupe	**huile d'olive**	15 ml
5	**échalotes**	
1/2 bloc	**tofu**	225 g
1 c. à soupe	**tamari**	15 ml
1	**courgette, coupée en dés**	
2 tasses	**haricots verts, coupés en deux**	500 ml
1/2 tasse	**pois surgelés**	250 ml
3/4 de tasse	**bouillon de légumes**	180 ml
1 c. à thé	**fécule de maïs**	5 ml
1 c. à thé	**gingembre frais, pressé**	5 ml
2 c. à soupe	**jus de citron frais**	30 ml
au goût	**sel et poivre**	

1 Faire cuire les fusillis une dizaine de minutes dans l'eau bouillante salée.

2 Pendant ce temps, dans une grande poêle, faire revenir dans l'huile les échalotes en morceaux et le tofu en cubes avec le tamari, puis les autres légumes. Faire cuire quelques minutes. Verser le bouillon et le reste des ingrédients.

3 Laisser mijoter jusqu'à ce que les légumes soient cuits. Déposer sur les pâtes.

**En bas : pâtes vertes,
au centre : pâtes bleues,
en haut : pâtes rouges.**

Pâtes bleues

Pour 4 personnes. Une recette pour stimuler vos papilles gustatives. Le fromage bleu prend tout son sens.

450 g	**pâtes linguini**	450 g
1 c. à soupe	**huile d'olive**	15 ml
5	**échalotes**	
1	**gousse d'ail, pressée**	
1 1/2 tasse	**lait**	375 ml
3/4 de tasses	**fromage bleu**	75 g
1/2 paquet (4 oz)	**épinards**	115 g
1/8 de tasse	**pignons, grillés**	30 ml

1 Plonger les linguinis dans un chaudron d'eau bouillante salée une dizaine de minutes. Rincer et égoutter.

2 Pendant ce temps, dans une poêle, faire dorer les échalotes coupées en rondelles et l'ail dans l'huile, avant d'ajouter le lait, le fromage et les épinards hachés. Laisser mijoter une dizaine de minutes à feu moyen.

3 Faire griller les pignons quelques minutes dans une petite poêle et attendre à la dernière minute pour les ajouter à la sauce. Servir sur les pâtes.

Pâtes rouges

Une recette de dépannage facile. Une vingtaine de
minutes et c'est prêt. Pour 4 personnes.

450 g	**pâtes rigatoni**	450 g
2 c. à soupe	**huile d'olive**	30 ml
2	**gousses d'ail, hachées**	
1	**oignon, haché**	
1 boîte	**tomates italiennes**	796 ml
1/4 de tasse	**fromage à la crème**	60 ml
au goût	**sel et poivre**	

1 Faire cuire les pâtes une dizaine de minutes dans l'eau
bouillante salée.

2 Dans un chaudron, faire revenir l'ail et l'oignon dans
l'huile jusqu'à ce qu'ils soient dorés. Ajouter les
tomates et laisser mijoter une quinzaine de minutes.

3 Réduire ce mélange de tomates en purée au robot
culinaire avant d'ajouter le fromage à la crème.
Laisser fondre et servir aussitôt sur les pâtes.

Plats principaux

Pâtes au chèvre

Si vous avez envie de découvrir la texture savoureuse des nouilles japonaises soba. C'est ma recette fétiche du dimanche soir pour vider le frigo du chalet. Pour 2 personnes.

250 g	**pâtes soba**	250 g
3 c. à soupe	**pesto** *(voir recette page 92)*	45 ml
1 c. à thé	**huile d'olive**	5 ml
2	**gousses d'ail**	
4	**échalotes**	
1	**courgette**	
2	**tomates, coupées en dés**	
1/3 de tasse	**fromage de chèvre crémeux**	75 g

1 Faire cuire les pâtes dans un chaudron d'eau bouillante salée. Si vous n'avez pas de pâtes soba, vous pouvez toujours opter pour des spaghettinis. Égoutter, enrober du pesto et déposer dans un grand plat allant au four.

2 Dans une poêle, faire revenir l'ail et les échalotes hachés dans l'huile, avec la courgette tranchée mince, les tomates, puis le fromage de chèvre en morceaux.

3 Ajouter au mélange de pâtes et faire chauffer au four une dizaine de minutes à 400 °F (200 °C). Les pâtes deviendront légèrement croustillantes.

Macaroni tomates et fromage

Pour 4 personnes. Il est important d'utiliser un fromage fort pour donner un goût très particulier à cette recette.

450 g	**macaronis de blé entier**	450 g
1 c. à soupe	**huile d'olive**	15 ml
1	**oignon**	
4	**gousses d'ail**	
1 boîte	**tomates italiennes**	796 ml
1/4 de tasse	**eau**	60 ml
1 tasse	**fromage cheddar fort**	100 g
1 pincée	**poivre de cayenne**	

1 Faire cuire les macaronis dans un chaudron d'eau bouillante salée.

2 Pendant ce temps, dans une poêle, faire revenir l'oignon haché finement dans l'huile à feu moyen. Attendre que l'oignon ait bruni avant d'ajouter l'ail hachée finement. Laisser caraméliser (presque noir) avant d'ajouter les tomates et l'eau. Laisser mijoter sans ne jamais brasser. On peut secouer la poêle une fois de temps en temps.

3 Après une vingtaine de minutes, ajouter le poivre de cayenne et le fromage. J'aime bien quand le fromage est encore visible à l'œil au moment de servir sur les pâtes.

Pâtes du paradis aux pacanes

L'odeur qui se dégage de cette recette est digne du paradis. C'est un mélange qui fond dans la bouche. Pour 4 personnes.

450 g	**spaghetti de blé entier**	450 g
1 tasse	**pacanes, grillées**	250 ml
1/2 tasse	**mie de pain de blé**	125 ml
1/2 tasse	**persil frais**	125 ml
2	**gousses d'ail**	
1/3 tasse	**huile d'olive**	75 ml
3 c. à soupe	**beurre fondu**	45 ml

1 Faire cuire les pâtes dans un grand chaudron d'eau bouillante salée une dizaine de minutes.

2 Pendant ce temps, faire griller les pacanes quelques minutes dans une poêle à feu moyen, et faire dorer le pain de blé au grille-pain. Passer tous les ingrédients au robot culinaire, en laissant au mélange une texture assez croquante.

3 Servir avec un bon fromage cheddar de chèvre, râpé finement.

Roulés à la ricotta

Vous avez un peu de temps devant vous? Essayer cette recette qui se fait en quelques étapes. Donne 8 petits roulés.

4 feuilles	**lasagne aux épinards**	

Pour la garniture :

1 c. à thé	**huile d'olive**	5 ml
1	**oignon**	
1	**gousse d'ail**	
3 tasses	**épinards frais, hachés**	750 ml
1/2 tasse	**ricotta**	125 ml

Pour la béchamel :

2 c. à soupe	**farine**	30 ml
2 c. à soupe	**beurre**	30 ml
1 1/4 tasse	**lait**	310 ml
au goût	**sel et poivre**	
1 tasse	**emmental râpé**	100 g
au goût	**paprika**	

1 Faire cuire les feuilles de lasagne (de préférence sans rebords frisés) dans l'eau bouillante salée, les égoutter et les couper en deux.

2 Dans une poêle, préparer la garniture en faisant revenir l'ail et l'oignon dans l'huile d'olive. Faire tomber les épinards et ajouter la ricotta.

3 Déposer la garniture dans les morceaux de lasagne, rouler, et déposer dans un plat allant au four.

4 Préparer la béchamel au micro-ondes en faisant chauffer la farine et le beurre 30 secondes. Ajouter le lait. Remettre à chauffer au moins 6 à 7 minutes en brassant de temps en temps. Assaisonner. Verser sur les roulés. Garnir du fromage râpé et d'un peu de paprika. Faire gratiner au four et servir.

Couscous aux pruneaux

Les pruneaux donnent un parfum sucré à ce couscous divin. Pour 4 personnes. Couper les légumes à votre goût, selon vos préférences.

2 tasses	**couscous**	500 ml
1 c. à soupe	**huile d'olive**	15 ml
2	**gousses d'ail, hachées**	
1	**oignon, haché**	
1	**poivron rouge**	
3	**carottes**	
2 tasses	**courge au choix**	500 ml
1/2 tasse	**navet**	125 ml
1 tasse	**patate douce**	250 ml
1/2 tasse	**pruneaux, coupés en deux**	125 ml
1/2 tasse	**pois chiches en boîte**	125 ml
1 tasse	**tomates italiennes en boîte**	250 ml
1 tasse	**bouillon de légumes**	250 ml
1	**courgette**	
1/2 c. à thé	**coriandre moulue**	2,5 ml
1/2 c. à thé	**curcuma**	2,5 ml
1/2 c. à thé	**paprika**	2,5 ml
1/2 c. à thé	**sel**	2,5 ml
au goût	**poivre**	

1 Dans un chaudron, faire gonfler le couscous dans 2 tasses d'eau (500 ml) bouillante et un filet d'huile d'olive.

2 Dans un chaudron, faire revenir l'ail et l'oignon dans l'huile, puis le poivron, les carottes, la courge, le navet et la patate douce. Après quelques minutes, incorporer la balance des ingrédients et laisser mijoter à couvert jusqu'à ce que les légumes soient cuits, en brassant de temps en temps. Servir avec le couscous.

Couscous enrobé

On oublie souvent de cuisiner avec du couscous.
Et pourtant, c'est facile, rapide et abordable.
Pour 2 à 4 personnes.

1 tasse	**couscous**	250 ml
3 c. à soupe	**huile d'olive**	45 ml
1	**oignon**	
1	**gousse d'ail**	
2 c. à soupe	**vinaigre**	30 ml
1 c. à soupe	**tamari**	15 ml
1 c. à soupe	**cari**	15 ml
1 c. à thé	**cassonade**	5 ml
1/2 c. à thé	**sel**	2,5 ml
1/2 c. à thé	**coriandre**	2,5 ml
1 tasse	**pois surgelés**	250 ml
1 tasse	**maïs surgelé**	250 ml
1/2 tasse	**raisins secs dorés**	125 ml
1/2 tasse	**amandes effilées, grillées**	125 ml

1 Dans un petit chaudron, faire cuire le couscous dans
1 tasse d'eau bouillante (250 ml), avec un filet
d'huile d'olive.

2 Pendant ce temps, dans une grande poêle, faire dorer
l'oignon et l'ail dans l'huile. Ajouter le reste des
ingrédients, dont le couscous. Garder les amandes
pour la fin pour qu'elles restent croquantes. Vous
aurez le temps de les faire griller quelques minutes
dans une petite poêle à feu moyen.

3 Bien mélanger tous les ingrédients ensemble et faire
chauffer à feu assez élevé. Servir chaud ou froid.

COUSCOUS : Petits grains de semoule
de blé dur. Très consommé dans les
pays du nord de l'Afrique.

Tofu sauce aux arachides

Recette à servir comme une petite friandise. Il est important de faire cuire les cubes de tofu à feu assez élevé pour qu'ils deviennent croustillants, tout en restant moelleux à l'intérieur.

1 c. à soupe	**huile d'olive**	15 ml
1 bloc	**tofu, coupé en cubes**	454 g
2 c. thé	**tamari**	10 ml

Pour la sauce :

1/4 de tasse	**beurre d'arachide**	60 ml
3/4 de tasse	**lait de coco**	180 ml
1/8 de tasse	**bouillon de légumes**	30 ml
1/8 de tasse	**sauce soya**	30 ml
1/8 de tasse	**tahini**	30 ml
1	**gousse d'ail pressée**	
1 c. à thé	**huile de sésame**	5 ml
1 c. à thé	**vinaigre de riz**	5 ml
2 c. à thé	**sucre**	10 ml
1 c. à thé	**gingembre moulu**	5 ml
au goût	**poivre de cayenne**	

1 Dans une poêle, faire sauter les cubes de tofu dans l'huile, à feu élevé. Ajouter le tamari après quelques minutes de cuisson.

2 Pendant ce temps, préparer la sauce en mélangeant tous ses ingrédients. La sauce servira à tremper les cubes de tofu.

Cette recette est bonne chaude ou froide, accompagnée d'un riz ou d'une salade.

TAMARI : Fait à partir de fèves de soya, le tamari est un peu plus consistant que la sauce soya.

Brochettes de tofu

Voici une recette d'été qui donne le goût de cuisiner en plein air sur le barbecue. Donne 6 belles et longues brochettes.

1 bloc	**tofu**	454 g
1	**poivron rouge**	
1	**poivron vert**	
2	**courgettes**	
1/2	**oignon rouge**	
12	**mini-tomates**	
12	**champignons**	

Pour la marinade :

1/4 de tasse	**tamari**	60 ml
1/4 de tasse	**huile d'olive**	60 ml
1/8 de tasse	**vinaigre balsamique**	30 ml
3	**gousses d'ail, pressées**	
1 c. à soupe	**cari**	15 ml

1 Couper le tofu en cubes et les légumes en gros morceaux. Les déposer dans un bol avec la marinade. Laisser reposer le plus longtemps possible sur le comptoir, en brassant de temps en temps.

2 Confectionner les brochettes. J'aime bien coller les morceaux d'oignon rouge aux cubes de tofu pour leur donner plus de goût.

3 Faire rôtir sur le barbecue en badigeonnant de la marinade. Servir avec du riz ou une salade.

Sauté de légumes

Voici une recette inspirée des sautés de légumes à l'orientale. Les arachides grillées donnent beaucoup de goût à ce plat. Pour 2 gourmands.

1 c. à soupe	**huile d'olive**	15 ml
1	**oignon**	
1	**gousse d'ail**	
1/2 bloc	**tofu, coupé en cubes**	225 g
2	**carottes, coupées en dés**	
1 boîte	**châtaignes d'eau en tranches**	199 ml
1/2 paquet	**champignons en tranches**	115 g
3 c. à soupe	**tamari**	45 ml
1 c. à soupe	**vinaigre de riz**	15 ml
1 c. à soupe	**sucre brun**	15 ml
1 c. à soupe	**tahini**	15 ml
1	**piment chili**	
1 c. à thé	**gingembre en poudre**	5 ml
1/4 de tasse	**arachides, grillées**	60 ml
1 tasse	**fèves germées**	250 ml
2 tasses	**brocoli**	500 ml

1 Dans un wok ou une grande poêle, faire sauter l'oignon et l'ail dans l'huile, à feu assez élevé. Ajouter le tofu, les carottes, les châtaignes d'eau, les champignons et les ingrédients de l'assaisonnement.

2 Pendant ce temps, faire griller les arachides dans une poêle à feu moyen. Les incorporer au mélange au même moment que le brocoli et les fèves germées.

3 Servir quand la cuisson des légumes sera à votre goût. Vous pouvez ajouter quelques feuilles de coriandre pour décorer.

Curry de légumes

Le bouillon de ce curry aux légumes est savoureux.
Et bonne nouvelle, il n'est pas très gras.
Pour 4 personnes.

1 c. à soupe	**huile d'olive**	15 ml
1	**oignon, haché**	
2	**gousses d'ail, hachées**	
1 tasse	**patates douces, coupées en cubes**	
3	**carottes, coupées en tranches**	
1 boîte	**châtaignes d'eau**	199 ml
1/2	**poivron vert, coupé en dés**	
1 tasse	**lait de coco**	250 ml
1 tasse	**bouillon de légumes**	250 ml
1 c. à thé	**gingembre moulu**	5 ml
1 c. à thé	**cumin moulu**	5 ml
2 c. à thé	**coriandre moulue**	10 ml
1	**piment chili**	
1 c. à thé	**sel**	5 ml
au goût	**poivre**	
1 tasse	**courgette, coupées en dés**	250 ml
3 tasses	**têtes de brocoli**	750 ml
5 gros	**champignons blancs**	

1 Dans un chaudron, faire revenir les oignons dans l'huile avant d'ajouter l'ail, les patates douces, les carottes, les châtaignes d'eau et le poivron. Laisser cuire quelques minutes.

2 Incorporer les liquides et les épices dans le même chaudron. Laisser mijoter une dizaine de minutes.

3 Ajouter finalement les légumes à cuisson rapide : courgette, brocoli et champignons. Poursuivre la cuisson encore une dizaine de minutes. Servir. Encore meilleur le lendemain !

Végé burger

Pour 4 personnes. Voici une recette à base de tofu et de pomme de terre qui ne cherche en aucun temps à imiter le goût du hamburger traditionnel !

1/2 bloc	**tofu**	225 g
1/4 de tasse	**sauce soya**	60 ml
2	**pommes de terre, râpées**	
2	**gousses d'ail**	
1	**oignon**	
1 c. à thé	**moutarde de Dijon**	5 ml
1/8 de tasse	**tahini**	30 ml
1/4 de tasse	**flocons d'avoine**	60 ml
1/4 de tasse	**graines de tournesol**	60 ml
1/4 de tasse	**farine**	60 ml

1 Mélanger tous les ingrédients au robot culinaire, sauf les graines de tournesol, qu'on aime complètes et croquantes.

2 Façonner de grandes croquettes minces et les faire cuire dans une poêle antiadhésive à feu moyen avec une bonne quantité d'huile, jusqu'à ce qu'elles soient bien dorées.

3 Servir dans un bon pain avec laitue, fromage et tomate.

TAHINI : C'est une pâte faite à partir de graines de sésame. On l'utilise pour le traditionnel hummus, mais également pour donner une touche spéciale aux vinaigrettes orientales.

Fondue au fromage

Pour 4 personnes. Pour s'offrir un beau moment en amoureux, ou avec les gens qu'on aime. Prendre son temps devient un impératif.

2 c. à thé	**huile d'olive**	10 ml
1/4 de tasse	**échalote française**	60 ml
2	**gousses d'ail**	
1 tasse	**vin blanc**	250 ml
2 1/2 tasses	**fromage vacherin des Bois-francs râpé**	250 g
2 1/2 tasses	**fromage suisse au choix râpé**	250 g
1/2 c. à thé	**paprika**	2,5 ml

1 On commence ce régal en faisant chauffer l'huile à feu moyen dans un chaudron ou directement dans un caquelon. On ajoute l'échalote et l'ail que l'on aura préalablement hachés très finement.

2 Après quelques minutes, on incorpore le vin que l'on laisse réduire, avant d'ajouter les fromages râpés.

3 Une fois le mélange uniforme, on sert avec des croûtons de pain baguette que l'on a fait durcir au four quelques minutes à 400 °F (200 °C).

Pâté chinois aux patates douces

Les patates douces et le tofu transforment complètement
ce grand classique... pour le mieux.
Pour 4 à 6 personnes.

Étage 1 :

1 c. à soupe	**huile d'olive**	15 ml
1	**gousse d'ail, hachée**	
1	**oignon, haché**	
1	**courgette, râpée**	
1/2 bloc	**tofu**	225 g
1/4 de tasse	**tamari**	60 ml
1 c. à thé	**coriandre moulue**	5 ml

Étage 2 :

2 tasses	**maïs surgelé ou en boîte**	500 ml

Étage 3 :

2 tasses	**patates douces**	500 ml
1/4 de tasse	**lait**	60 ml

1 Dans un premier temps, faire revenir l'ail, l'oignon, la
courgette et le tofu que vous aurez déchiqueté à
l'aide d'un fourchette, dans l'huile avec le tamari et la
coriandre. Déposer dans un moule carré.

2 Ajouter l'étage de maïs.

3 Mélanger les patates douces bouillies (une vingtaine de
minutes) au lait, jusqu'à l'obtention d'une belle purée
lisse. Ériger votre dernier étage.

4 Faire cuire au four à 350 °F (175 °C) une trentaine
de minutes.

Montagne de polenta

La présentation de cette recette ne manquera pas d'attirer l'attention. Donne 6 montagnes de polenta.

1 tasse	**semoule de maïs**	250 ml
4 tasses	**eau**	1 litre
1 pincée	**sel**	
1 c. à soupe	**huile d'olive**	15 ml
1/2	**oignon**	
1	**gousse d'ail**	
1	**carotte**	
1/2	**courgette**	
10	**olives**	
5	**asperges**	
5 feuilles	**épinard**	
1 boîte	**tomates italiennes**	398 ml
1 c. thé	**origan**	5 ml
au goût	**sel et poivre**	

1 Dans un chaudron, faire bouillir l'eau avec le sel. Ajouter graduellement la semoule de maïs. Brasser quelques minutes jusqu'à ce que la polenta épaississe. Déposer dans 6 moules à muffins. Laisser refroidir.

2 Pendant ce temps, dans une poêle, faire dorer l'oignon et l'ail dans l'huile, avant d'ajouter les autres légumes coupés en morceaux. Incorporer les tomates et l'origan, avant de laisser mijoter une quinzaine de minutes à feu moyen. Saler et poivrer au goût.

3 Pour le service, couper les muffins de polenta à l'horizontale, les faire réchauffer ou griller dans une poêle avec un peu d'huile, et garnir de la sauce.

POLENTA : Semoule de maïs très fine que l'on mélange à de l'eau pour obtenir la texture désirée. La polenta se consomme comme accompagnement, chaude, refroidie, tranchée ou grillée. Précuite, elle se prépare en quelques minutes.

Chop Suey végétarien

Pour 2 à 4 personnes. Délicieux avec des fèves germées encore croquantes.

1 c. à soupe	**huile d'olive**	15 ml
4	**échalotes**	
1	**courgette, coupée en juliennes**	
1/2 bloc	**tofu, coupé en juliennes**	225 g
12	**champignons, tranchés**	
3 c. à soupe	**tamari**	45 ml
2 c. à soupe	**parmesan**	30 ml
12 gouttes	**tabasco**	
3 tasses	**fèves germées**	750 ml
au goût	**sel et poivre**	

1 Dans une grande poêle ou un wok, faire sauter quelques minutes les échalotes en morceaux dans l'huile d'olive.

2 Réduire légèrement le feu au moment d'ajouter la courgette, le tofu et les champignons. Assaisonner du tamari, du parmesan et du tabasco.

3 Attendre cinq minutes et incorporer les fèves germées avant de servir .

FÈVE GERMÉE : Au départ, le haricot mungo a l'allure d'une petite fève verte. C'est en le faisant germer dans l'eau, qu'il prend son élan et devient l'explosive fève germée.

Paella de légumes

30 minutes et vous aurez l'odeur magnifique de cette paella de légumes. Pour 4 personnes.

1 c. à soupe	**huile d'olive**	15 ml
1	**gousse d'ail**	
1/2	**oignon espagnol**	
1	**carotte, coupée en dés**	
20	**haricots verts frais**	
1/2 tasse	**haricots blancs en boîte**	125 ml
1/2 tasse	**pois surgelés**	125 ml
15 feuilles	**épinard**	
2	**tomates, coupées en dés**	
1 tasse	**riz**	250 ml
2 tasses	**bouillon de légumes**	500 ml
1 pincée	**safran**	0,25g
1/2 c. à thé	**paprika**	2,5 ml

1 Dans une grande poêle, faire dorer l'ail et l'oignon hachés dans l'huile, suivi de la carotte. Ajouter les haricots verts, les haricots blancs, les pois, les épinards et les tomates. Vous pouvez plonger les tomates une toute petite minute dans un chaudron d'eau bouillante avant de les éplucher, de les épépiner et de les couper en dés.

2 Incorporer par la suite le riz, le bouillon et les épices.

3 À partir de ce moment, moins vous brasserez votre paella, meilleure elle sera. Laisser le riz gonfler. À la fin de la cuisson, on peut couvrir la paella d'un linge mouillé pendant quelques minutes pour permettre aux saveurs de bien se marier.

PAELLA : De la région de Valence en Espagne, la paella est un repas de fête. À l'origine, le plat était cuit sur la braise accompagné de légumes et d'escargots. Elle se prépare avec du safran, l'épice la plus chère au monde.

Courge farcie

Pour 2 à 4 personnes. Une recette qu'on peut faire en tout temps, mais qui connaît son heure de gloire à l'automne. L'idée de partir le four nous réchauffe déjà les pieds.

1	**courge musquée ou poivrée**	
2 noix	**beurre**	
1 c. à soupe	**huile d'olive**	15 ml
1	**gousse d'ail, hachée**	
1/2	**oignon, haché**	
2 tasses	**courgettes, coupées en dés**	500 ml
2 tasses	**champignons, tranchés**	500 ml
6 c. à soupe	**crème sure légère**	90 ml
1 c. à soupe	**moutarde de Dijon**	15 ml
1 tasse	**cheddar râpé**	100 g
	paprika	

1 Choisir une belle grosse courge. La couper en deux, la vider et déposer une noix de beurre dans chacune de ses cavités. Faire cuire au four une quarantaine de minutes à 400 °F (230°C).

2 Pendant ce temps, dans une poêle, faire sauter l'ail, l'oignon, la courgette et les champignons dans l'huile.

3 Ajouter la crème sure et la moutarde après quelques minutes.

4 Remplir la courge et parsemer du fromage râpé. Faire gratiner au four avec un peu de paprika et servir.

ACCOMPAGNEMENTS

Voici de bonnes idées de légumes, de pommes de terre et de riz pour accompagner vos plats de résistance. Vous verrez que ce qui accompagne peut être aussi éclatant, coloré et invitant que ce qui se trouve dans le reste de l'assiette. D'ailleurs, plusieurs de ces accompagnements peuvent devenir le centre de votre repas.

Pour tenir compagnie

Asperges vinaigrette

Pour 4 personnes. Une recette qui nous fait encore plus apprécier l'arrivée du printemps. Si vos asperges sont petites, prenez-en une quarantaine.

30	**asperges**	
1 c. à soupe	**graines de sésame, grillées**	15 ml

Pour la vinaigrette :

1 c. à thé	**moutarde de Dijon**	5 ml
1/8 de tasse	**huile d'olive**	30 ml
1 c. à soupe	**vinaigre balsamique**	15 ml
1 c. à thé	**sirop d'érable**	5 ml
1 pincée	**herbes de Provence**	
au goût	**sel et poivre**	

1 Casser le gros bout des asperges. Les faire cuire quelques minutes à la vapeur, en les laissant légèrement croquantes.

2 Pendant ce temps, faire griller à sec les graines de sésame dans une poêle à feu moyen. Je préfère utiliser des graines de sésame non décortiquées.

3 Préparer la vinaigrette. Verser sur les asperges et saupoudrer des graines de sésame.

À gauche : asperges vinaigrette,
à droite : artichauts citronnés.

Artichauts citronnés

Voici une recette toute simple pour donner une touche citronnée à votre plat principal. Pour 4 à 6 personnes.

2 boîte	**artichauts**	796 ml
2 c. à soupe	**huile d'olive**	30 ml
2	**gousses d'ail, hachée**	
2 c. à soupe	**jus de citron frais**	30 ml
2 c. à thé	**moutarde de Dijon**	10 ml
1/4 de tasse	**persil frais**	60 ml
au goût	**sel et poivre**	

1 Dans une poêle, faire revenir l'ail dans l'huile, avant d'ajouter les artichauts coupés en morceaux, le jus de citron, la moutarde et le persil haché.

2 Saler et poivrer au goût. Servir chaud.

ARTICHAUT - IL Y A PEUT-ÊTRE ENCORE DES GENS AUJOURD'HUI QUI PRÉTENDENT QUE L'ARTICHAUT A DES VERTUS APHRODISIAQUES. AVANT SES VERTUS, ON L'AIME POUR SON CŒUR, TENDRE ET EXQUIS.

Haricots aux tomates

Pour 4 personnes. Une recette de haricots qui fond dans la bouche, qui se laisse dévorer.

1 c. à soupe	**huile d'olive**	15 ml
1	**gousse d'ail, hachée**	
1	**oignon, haché**	
2	**tomates, coupées en dés**	
6 tasses	**haricots verts**	1,5 litre
1 c. à thé	**origan séché**	5 ml
au goût	**sel et poivre**	

1 Dans un chaudron, faire revenir l'ail et l'oignon dans l'huile. Ajouter les tomates et laisser mijoter quelques minutes, avant d'incorporer les haricots équeutés et l'origan. Refermer le couvercle du chaudron.

2 Laisser mijoter jusqu'à ce que les haricots soient cuits.

3 Saler et poivrer au goût.

Carottes parfumées

Pour 4 personnes. Une recette qui fait ressortir le goût sucré de la carotte.

3 tasses	**carottes**	750 ml
1 c. à soupe	**huile d'olive**	15 ml
1	**gousse d'ail, hachée**	
1/4 c. à thé	**cumin moulu**	1 ml
1 c. à thé	**miel**	5 ml
au goût	**sel et poivre**	

1 Couper les carottes en juliennes. Les faire cuire 5 à 7 minutes à la vapeur.

2 Dans une poêle, faire revenir l'ail dans l'huile avant d'ajouter les carottes. Enrober la préparation de cumin et de miel avant de servir.

3 Saler et poivrer au goût.

À gauche : carottes parfumées, à droite : haricots aux tomates.

Chou-fleur au cari

Une recette qui accompagnerait à merveille une quiche ou une omelette. La cari parfume avec classe le chou-fleur. Pour 4 personnes.

un gros	**chou-fleur**	
2 c. à soupe	**farine**	30 ml
2 c. à soupe	**beurre**	30 ml
1 1/4 tasse	**lait**	310 ml
1/2 c. à thé	**cari**	2,5 ml
1 c. à thé	**sel**	5 ml
au goût	**poivre**	

1 Faire cuire le chou-fleur en bouquets à la vapeur.

2 Pendant ce temps, dans un bol allant au micro-ondes, faire fondre le beurre avec la farine une trentaine de secondes. Ajouter le lait. Faire chauffer 7 à 8 minutes jusqu'à l'obtention d'une béchamel, en brassant de temps en temps. Assaisonner du cari, du sel et du poivre.

3 Verser la béchamel sur le chou-fleur dans un plat de service.

À gauche : chou-fleur au cari,
à droite : brocoli sauce crémeuse.

Brocoli sauce crémeuse

Le brocoli est bon nature. Cette sauce légère ne fera que rehausser son goût. Pour 4 personnes.

1	**brocoli**	
1/4 de tasse	**fromage cottage**	60 ml
1 c. à soupe	**huile d'olive**	15 ml
1 c. à soupe	**vinaigre de cidre**	15 ml
1 c. à thé	**moutarde de Dijon**	5 ml
1 c. à soupe	**parmesan frais, râpé**	15 ml
au goût	**sel et poivre**	

1 Faire cuire le brocoli quelques minutes à la vapeur.

2 Pendant ce temps, mélanger les ingrédients de la sauce ensemble. Enrober les bouquets de brocoli et servir.

BROCOLI - Le mot viendrait de l'italien broccolo, qui désigne une pousse de choux. C'est un légume fier de sa teneur en vitamine C. Il en contient deux fois plus que l'orange.

Patatas bravas

Pour 4 personnes. Un grand classique de la cuisine espagnole, avec un petit goût piquant hors du commun. En version rapide et facile.

7 tasses	**pomme de terre**	1,75 l
2 c. à soupe	**huile d'olive**	30 ml
1 c. à thé	**sel**	5 ml
3 c. à soupe	**mayonnaise**	45 ml
12 gouttes	**tabasco**	

1 Couper les pommes de terre en cubes de 2 cm X 2 cm avant de les faire tremper une dizaine de minutes dans l'eau tiède. Bien les assécher à l'aide d'un linge à vaisselle.

2 Dans un grand bol, ajouter l'huile et le sel aux patates et bien mélanger.

3 Déposer le mélange sur une tôle à biscuits et faire cuire une cinquantaine de minutes à 400 °F (200 °C), en brassant aux dix minutes.

4 Une fois les pommes de terre bien dorées, les remettre dans un grand bol, ajouter la mayonnaise et le tabasco. Servir aussitôt.

PATATAS BRAVAS - Elles sont souvent servies dans les bars comme tapas. L'utilisation d'une mayonnaise de qualité fera toute la différence...

Muffins à la patate douce

Donne 9 beaux muffins, croustillants à l'extérieur et moelleux à l'intérieur. Pour accompagner n'importe quel plat en sauce.

1 1/2 tasse	**farine**	375 ml
1/2 tasse	**semoule de maïs**	125 ml
1 c. à soupe	**poudre à pâte**	15 ml
1/2 c. à thé	**sel**	2,5 ml
1 tasse	**patate douce, râpée**	250 ml
1/2	**courgette, râpée**	
1/2 tasse	**oignon, haché**	125 ml
1	**gousse d'ail, hachée**	
1/2 tasse	**fromage suisse, en dés**	125 ml
2	**œufs**	
1/4 de tasse	**beurre fondu**	60 ml
3/4 de tasse	**lait**	180 ml
1 c. à thé	**moutarde de Dijon**	5 ml
1 pincée	**poivre de cayenne**	

1 Mélanger les ingrédients secs dans un grand bol.

2 Battre les œufs avec le beurre fondu et le lait. Ajouter au premier mélange avec la moutarde et le poivre de cayenne.

3 Remplir les moules à muffins. Faire cuire au four à 400 °F (200 °C) pendant une vingtaine de minutes.

Manger chaud ou froid.

Muffins à la patate douce et patatas bravas.

Les deux recettes qui suivent vous permettront d'utiliser
les feuilles et les tiges de la bette à carde.

Bette à carde gratinée

La bette a carde a beaucoup de caractère. Vous aimerez
son goût franc, qui se rapproche de celui de l'épinard.
Pour 4 à 6 personnes.

15 feuilles	**bette à carde**	
1 tasse	**fromage gruyère ou emmental râpé**	100 g
au goût	**paprika**	

1 Faire cuire les feuilles de bette à carde 5 à 10 minutes
à la vapeur. Bien les égoutter. Déposer dans un plat
allant au four.

2 Ajouter le fromage râpé. Saupoudrer de paprika.
Faire gratiner au four.

Bette à carde et patates

C'est une recette d'inspiration espagnole.
Pour 4 personnes.

1 c. à soupe	**huile d'olive**	15 ml
1	**gousse d'ail, hachée**	
4	**pommes de terre, coupées en dés**	
1 tasse	**tiges de bette à carde**	250 ml
1 tasse	**eau**	250 ml
2 c. à thé	**vinaigre**	10 ml
au goût	**sel et poivre**	

1 Dans un chaudron, faire dorer l'ail dans l'huile.

2 Ajouter les patates quelques minutes, puis l'eau et la bette
à carde coupée en morceaux. Laisser cuire à feu moyen.
Brasser en secouant le chaudron une fois de temps en
temps, jusqu'à ce que les patates soient tendres, mais
encore légèrement croquantes.

3 Terminer avec le vinaigre, le sel et le poivre.

Au centre : bette à carde gratinée, autour : bette à carde et patates.

Courgettes farcies

Voici un très joli plat à servir en accompagnement, mais qui pourrait tout aussi bien faire office de plat principal. Pour 4 à 6 personnes. Les petites barques font fureur dans ma famille.

4	**courgettes**	
1 c. à thé	**huile d'olive**	5 ml
2	**échalotes françaises, hachées**	
1	**gousse d'ail, hachée**	
1	**carotte, coupée en dés**	
1/2 tasse	**pois chiches en boîte**	125 ml
2	**tomates italiennes**	
1/4 c. à thé	**sarriette**	1 ml
au goût	**sel et poivre**	
1	**œuf**	
1 tasse	**cheddar fort râpé**	100 g
1 pincée	**paprika**	

1 Couper les courgettes en deux dans le sens de la longueur. Enlever la chair des courgettes à l'aide d'une petite cuillère et mettre de côté. Vous pourrez l'utiliser pour une autre recette.

2 Faire blanchir les courgettes deux minutes dans l'eau bouillante et réserver.

3 Dans une poêle, faire revenir les échalotes, l'ail et les carottes dans l'huile. Ajouter les pois chiches coupés en deux, les tomates coupées en dés, la sarriette, le sel et le poivre.

4 En fin de cuisson, incorporer l'œuf et remplir les courgettes du mélange.

5 Ajouter le fromage râpé, saupoudrer de paprika et faire gratiner au four.

Aubergines aux tomates

Pour 4 personnes. Faire en portion individuelle pour que ce soit plus esthétique au service. Encore une fois, accompagné d'une salade, c'est un plat qui peut se déguiser en vedette de votre repas.

1	**aubergine**
3	**tomates italiennes**
2	**courgettes**
12 tranches	**mozzarella**
au goût	**origan séché**

1 Couper 12 tranches d'aubergine et déposer sur une tôle à biscuits avec un peu d'huile d'olive et de sel.

2 Faire chauffer à 400 °F (200 °C) une quinzaine de minutes.

3 Pendant ce temps, éplucher les courgettes et couper la chair en petits morceaux. Faire cuire quelques minutes à feu assez vif dans une poêle avec un peu d'huile.

4 Couper une quinzaine de tranches de tomates italiennes.

5 Dans l'assiette de chaque personne, déposer une tranche d'aubergine, une tranche de fromage, deux tranches de tomate, une autre tranche d'aubergine, le mélange de courgettes, encore du fromage et des tomates et répéter une dernière fois avec l'aubergine, la tranche de formage et la tomate. Au goût, on peut saupoudrer d'origan chacun des étages de tomates. Faire gratiner au four et servir.

Poivrons farcis

Une recette d'automne pour retrouver la douceur et la finesse des poivrons rouges. Pour 4 personnes.

2	**poivrons rouges**	
1 c. à soupe	**huile d'olive**	15 ml
1/2	**oignon rouge, haché**	
1	**gousse d'ail, hachée**	
1 1/2 tasse	**lentilles en boîte**	
1/3 de tasse	**fromage de chèvre crémeux**	75 g
2	**tomates italiennes, coupées en dés**	
au goût	**sel et poivre**	

1 Couper les poivrons en deux. Enlever le cœur et les pépins. Faire cuire dans l'eau bouillante 3 minutes et réserver.

2 Dans une poêle, faire revenir l'ail et l'oignon dans l'huile avant d'ajouter les lentilles, les tomates, puis le fromage de chèvre.

3 Remplir les poivrons. Déposer dans un plat allant au four. Faire chauffer une vingtaine de minutes à 300 °F (150°C).

Légumes grillés au four

Pour 4 personnes. Un vrai délice dont vous ne pourrez plus vous passer. Couper tous les légumes en gros morceaux dans le sens de la longueur pour leur donner une allure uniforme.

1/2	**courge butternut**	
1	**patate douce**	
2	**carottes**	
2	**panais**	
1/4	**navet**	
1/2	**oignon espagnol, coupé en gros morceaux**	
1	**gousse d'ail, pressée**	
3 c. à soupe	**huile d'olive**	45 ml
1 c. à thé	**origan séché**	5 ml
1/2 c. à thé	**sel**	2,5 ml
1/2 c. à thé	**paprika**	2,5 ml

1 Faire tremper les légumes racines quelques minutes dans l'eau tiède. Les assécher avec un linge à vaisselle et les déposer dans un bol.

2 Ajouter l'ail, l'huile et les épices avant de mettre au four sur une grande tôle à biscuits. Faire cuire une cinquantaine de minutes à 450 °F (230 °C) en brassant aux dix minutes.

Patates deux couleurs

Pour donner un peu de couleur à votre plat principal. Et parce que c'est bon des patates. Pour 4 personnes.

3 tasses	**patates douces**	750 ml
3 tasses	**pommes de terre**	750 ml
1 c. à soupe	**beurre**	15 ml
1	**oignon, haché**	
2	**gousses d'ail, hachées**	
1 3/4 tasse	**lait**	430 ml
1/4 c. à thé	**muscade**	1 ml
1 c. à thé	**sel**	5 ml
au goût	**poivre**	

1 Éplucher les patates, les couper en tranches et les rincer.

2 Dans une grande poêle, faire revenir les oignons et l'ail dans le beurre avant d'ajouter les patates douces, les pommes de terre, le lait, la muscade, le sel et le poivre. Laisser mijoter une quinzaine de minutes à découvert avant de mettre dans un plat allant au four.

3 Faire un étage de patates douces, en alternance avec un étage de pommes de terre.

4 Enfourner à 400 °F (200 °C) une trentaine de minutes avant de servir. Vous pourriez ajouter un peu de cheddar râpé pour en faire un plat gratiné.

Riz pois et noix

Pour le juteux des pois et la richesse des noix.
Pour 4 personnes.

1 c. à soupe	**huile d'olive**	15 ml
1/2	**oignon, haché**	
1	**gousse d'ail, hachée**	
1 tasse	**riz basmati**	250 ml
1 1/2 tasse	**eau**	375 ml
1/4 de tasse	**lait**	60 ml
1 pincée	**sucre**	
3/4 de tasse	**petits pois**	180 ml
3/4 de tasse	**cachous et amandes, effilées**	180 ml

1 Dans une poêle sur laquelle on peut mettre un couvercle, faire dorer l'ail et l'oignon dans l'huile.

2 Ajouter le riz et l'enrober des autres ingrédients. Laisser mijoter quelques minutes avant d'incorporer l'eau, le lait, le sucre et les petits pois.

3 Couvrir et mettre au four à 400 °F (200 °C) pendant une vingtaine de minutes ou jusqu'à ce que le liquide soit absorbé.

4 La touche finale appartiendra aux cachous et aux amandes que vous aurez fait griller à sec dans une poêle quelques minutes à feu moyen.

En bas : riz pois et noix, au centre : riz aux canneberges et curry, en haut : risotto aux tomates séchées.

Riz aux canneberges et cari

Pour 4 personnes. Un riz coloré. Une explosion de saveurs. Un beau mélange sucré-salé.

1 tasse	**riz basmati**	250 ml
2 tasses	**bouillon de légumes**	500 ml
1/8 de tasse	**canneberges séchées**	30 ml
1 c. à soupe	**huile d'olive**	15 ml
1	**oignon, haché**	
1	**carotte, coupée en dés**	
1/2	**poivron rouge, haché finement**	
1/8 de tasse	**graines de tournesol**	30 ml
1 c. à thé	**sucre**	5 ml
1/2 c. à thé	**cari**	2,5 ml

1 Au micro-ondes, faire cuire le riz dans le bouillon de légumes avec les canneberges 15 minutes et réserver.

2 Pendant ce temps, dans une poêle, faire revenir l'oignon et la carotte dans l'huile. Ajouter le reste des ingrédients, puis, après une dizaine de minutes, le riz cuit.

CANNEBERGE - Petit fruit qu'on appelle aussi atoca, qui est d'origine amérindienne. On la cultive essentiellement en Amérique du Nord. On la consomme de plus en plus, fraîche et séchée.

Risotto aux tomates séchées

Pour un accompagnement réconfortant. Un risotto riche de texture et de goût. Pour 4 personnes.

1 c. à soupe	**huile d'olive**	15 ml
1	**oignon haché**	
2	**gousses d'ail pressées**	
1 tasse	**riz arborio**	250 ml
3 tasses	**bouillon de légumes**	750 ml
5	**tomates séchées dans l'huile**	
1/2 tasse	**pois surgelés**	125 ml
1/8 de tasse	**pignons grillés**	30 ml
1/2 tasse	**parmesan frais râpé**	125 ml

1 Faire chauffer le bouillon de légumes dans un chaudron et réserver.

2 Dans une poêle, faire dorer l'oignon et l'ail dans l'huile d'olive avant d'ajouter le riz et de bien l'enrober. Réduire à feu moyen.

3 Ajouter graduellement le bouillon et continuer la cuisson. Attendre que le bouillon soit entièrement imbibé avant d'ajouter d'autre bouillon. Il faut vraiment y aller à petites doses.

4 Rendu au 2/3 du bouillon, ajouter les tomates séchées coupées en morceaux et les petits pois. En fin de cuisson, ajouter les pignons préalablement grillés quelques minutes à feu moyen dans une poêle et le parmesan. Servir ausssitôt. C'est bon... tout de suite.

RISOTTO - Beaucoup consommé dans le nord de l'Italie, le risotto est reconnu pour sa rondeur et son croquant. Le riz arborio est le plus répandu pour sa préparation.

DESSERTS

Pour la petite dent sucrée qui sommeille en vous. Il y a dans les pages qui suivent des douceurs sucrées, des petites bouchées santé pour faire plaisir aux enfants et de vrais de vrais desserts décadents comme on les aime. Une fois n'est pas coutume !

Pour couronner le tout

Bouchées de bananes au miel

Voici un petit dessert d'inspiration orientale qui
complète particulièrement bien un repas léger...
Pour 4 personnes.

4	**bananes fermes**	
	farine blanche	
2	**œufs légèrement battus**	
	huile pour friture	
1/8 de tasse	**miel**	30 ml
1/8 de tasse	**graines de sésame**	30 ml

1 Couper les bananes dans le sens de la longueur et,
sans détacher les deux moitiés, couper dans l'autre
sens environ 8 tranches.

2 Plonger les morceaux dans la farine et les secouer
pour enlever l'excédent de farine. Les enrober d'œufs.

3 Frire les morceaux de bananes dans l'huile très
chaude jusqu'à ce qu'ils soient dorés. Égoutter sur
du papier absorbant.

4 Faire chauffer le miel environ 15 secondes au
micro-ondes pour le rendre plus liquide. Tremper
les morceaux de bananes dans le miel puis dans
une assiette remplie des graines de sésame.

Fruits à la crème

Je connais des gens qui feraient des kilomètres à pied pour un petit bol de ces fruits à la crème. Une recette pour mettre en valeur vos fruits frais. Pour 4 personnes.

2 c. à soupe	**beurre**	30 ml
2 c. à soupe	**farine**	30 ml
1 tasse	**crème 15%**	250 ml
1/3 de tasse	**sucre**	75 ml
1/2 c. à thé	**vanille**	2,5 ml
4 tasses	**fruits frais**	1 litre

1 Dans un chaudron, faire chauffer le beurre, la farine et la crème jusqu'à épaississement. Ajouter le sucre et la vanille. Réserver.

2 Couper les fruits frais en morceaux, qui viendront s'ajouter à la crème. J'aime bien le mélange raisins rouges, fraises et melon miel.

3 Laisser refroidir un certain temps avant de servir.

En bas : fruits à la crème, au centre : parfait aux fruits, en haut : salade aux trois fruits.

Parfait aux fruits

Un dessert léger que vous pourrez servir dans des coupes. Vous pouvez tout aussi bien le réaliser avec des fruits frais qu'avec des fruits surgelés et en boîte. À déguster hiver comme été. Pour 4 personnes.

2 tasses	**yogourt à la vanille**	500 ml
4 tranches	**ananas**	
1/2 tasse	**bleuets (myrtilles)**	125 ml
1/2 tasse	**fraises**	125 ml

1 Si vous utilisez des fruits surgelés, les faire chauffer légèrement au micro-ondes avant de concocter le dessert.

2 Dans chacune des coupes, déposer le quart du mélange de bleuets.

3 Ajouter 1/4 de tasse (60 ml) de yogourt, une tranche d'ananas coupée en petits morceaux, 1/4 de tasse (60 ml) de yogourt, et couronner le tout du quart du mélange de fraises.

Salade aux trois fruits

Pour 4 personnes. Le jus de citron vient donner beaucoup de personnalité à cette salade de fruits.

2 tasses	**ananas**	500 ml
2 tasses	**melon d'eau**	500 ml
2 tasses	**melon miel**	500 ml
3 c. à soupe	**jus de citron frais**	45 ml

1 Couper les fruits en gros morceaux. Les mettre dans un bol avec le jus de citron.

2 Laisser reposer avant de servir, pour que les saveurs se mélangent.

MELON MIEL - De la famille des cucurbitacées, on l'appelle aussi honeydew. Pour bien choisir son melon, on le prend lourd et parfumé.

Délice aux pommes

En saison, on se cherche toujours des nouvelles recettes de desserts aux pommes. Contrairement à la croustade, les pommes se retrouvent sur le dessus.
Pour 4 personnes.

Pour la pâte :

1 1/3 tasse	**farine**	325 ml
1/2 tasse	**sucre**	125 ml
1 c. à soupe	**poudre à pâte**	15 ml
1 pincée	**sel**	
1/4 de tasse	**beurre**	60 ml
1	**œuf**	
3/4 de tasse	**lait**	180 ml

Pour la garniture:

4	**pommes**	
2 c. à soupe	**sucre**	30 ml
1/4 c. à thé	**muscade**	1 ml
1/2 c. à thé	**cannelle**	2,5 ml

1 Mélanger les ingrédients secs de la pâte. Incorporer le beurre en coupant finement au couteau. Ajouter l'œuf battu et le lait en brassant à la fourchette. La texture de la pâte doit rester collante. Déposer dans un moule carré légèrement huilé.

2 Étendre les pommes épluchées et tranchées sur le dessus. Saupoudrer du mélange de sucre, de muscade et de cannelle.

3 Faire cuire à 350 °F (175 °C) une quarantaine de minutes.

En bas : délice aux pommes, en haut : croustade aux pommes.

Croustade aux pommes

Donnez-vous la liberté de réduire un peu la quantité de cassonade si vous avez envie d'une croustade moins sucrée. Pour 4 à 6 personnes.

1 tasse	**farine**	250 ml
1 tasse	**flocons d'avoine**	250 ml
3/4 de tasse	**cassonade**	180 ml
1 c. à thé	**cannelle**	5 ml
1/2 tasse	**beurre fondu**	125 ml
5 tasses	**pommes**	1,25 l

1 Éplucher les pommes et les couper en tranches.

2 Dans un bol, mélanger le reste des ingrédients. Prendre le quart du mélange pour les pommes et déposer dans un moule. Mettre le reste du mélange sur le dessus.

3 Faire cuire à 350 °F (175 °C) une trentaine de minutes.

POMMES - On cultive des pommes depuis 3000 ans. Et on ne compte plus ses variétés. Pour cuisiner, on aime celles qui restent fermes, comme la Cortland.

Grand-père aux fraises

Les desserts aux fruits ont la cote. Et les fraises font l'unanimité. Une recette quatre saisons qu'on peut faire avec des fraises surgelées, ou avec n'importe quel petit fruit. Pour 4 à 6 personnes.

Pour le fond :

2 1/2 tasses	**fraises**	625 ml
1/4 de tasse	**sucre**	60 ml
3/4 de tasse	**eau**	180 ml
2 c. à soupe	**farine**	30 ml

Pour la pâte :

1 tasse	**farine**	250 ml
1 c. à soupe	**sucre**	15 ml
2 c. à thé	**poudre à pâte**	10 ml
1/4 c. à thé	**sel**	1 ml
3 c. à table	**beurre**	45 ml
1	**œuf**	
1/3 de tasse	**lait**	75 ml

1 Faire chauffer les ingrédients du fond 7 à 8 minutes au micro-ondes, jusqu'à épaississement. Déposer dans un plat rectangulaire.

2 Dans un bol, mélanger la farine avec le sucre, la poudre à pâte et le sel. Incorporer le beurre en coupant finement au couteau. Ajouter l'œuf battu et le lait en remuant à la fourchette. La texture de la pâte doit rester collante.

3 Déposer des boules de pâte à la cuillère sur les fraises. Donne environ 8 monticules de pâte.

4 Faire cuire une vingtaine de minutes à 400 °F (200 °C).

Croûte rhubarbe et fraises

Voici la recette de mon péché mignon. Le mélange acide-sucré est si savoureux qu'il devient difficile de s'arrêter. Pour 4 personnes.

Pour le fond :

2 tasses	**rhubarbe**	500 ml
2 tasses	**fraises**	500 ml
1/4 de tasse	**sucre**	60 ml
2 c. à soupe	**farine**	30 ml

Pour la croûte :

1 tasse	**farine**	250 ml
3/4 de tasse	**cassonade**	180 ml
1/2 tasse	**beurre fondu**	125 ml
1 c. à soupe	**jus de citron**	15 ml
1/2 c. à thé	**sel**	2,5 ml

1 Faire chauffer les ingrédients du fond 4-5 minutes au micro-ondes, jusqu'à l'obtention d'un mélange onctueux. Déposer dans un moule allant au four.

2 Mélanger les ingrédients de la croûte et déposer sur le fond.

3 Faire cuire au four à 400 °F (200 °C) une trentaine de minutes.

RHUBARBE - Racine barbare qu'on cuisine encore avec réserve. Et pourtant, elle vient pimenter de nombreuses recettes de desserts. Amalgamée à la fraise, elle est savoureuse.

En bas : croûte rhubarbe et fraises, en haut : grand-père aux fraises.

Muffins à l'ananas

Des muffins en deux étapes, pour vous surprendre à chaque bouchée. Donne 10 muffins.

Pour les muffins :

1 tasse	farine	250 ml
3/4 de tasse	flocons d'avoine	180 ml
1/4 de tasse	cassonade	60 ml
2 c. à thé	poudre à pâte	10 ml
1/2 c. à thé	soda à pâte	2,5 ml
1/4 c. à thé	sel	1 ml
1/4 c. à thé	muscade	1 ml
1 tasse	ananas frais ou en boîte	250 ml
1/2 tasse	poires fraîches ou en boîte	125 ml
1 c. à thé	zeste de citron	5 ml
1 c. à soupe	jus de citron	15 ml
1/3 de tasse	huile végétale	75 ml
1/3 de tasse	yogourt nature	75 ml
1	œuf	

Pour la garniture :

1/4 de tasse	flocons d'avoine	60 ml
1/4 de tasse	cassonade	60 ml
2 c. à soupe	pacanes hachées	30 ml
2 c. à soupe	beurre	30 ml
1 pincée	cannelle	
1 pincée	gingembre	

1 Dans un bol, mélanger tous les ingrédients des muffins ensemble.

2 Déposer le mélange dans des petits moules à muffins en papier, parce qu'ils ont tendance à être un peu friables.

3 Saupoudrer le mélange des ingrédients de la garniture. Faire cuire à 400 °F (200 °C) une quinzaine de minutes.

muffin aux
pommes

muffin à
l'ananas

muffin aux
ananes

muffin aux
bleuets

Muffins aux pommes

Des muffins qui font ressortir toute la saveur et la subtilité des pommes. Donne 8 beaux muffins.

2	œufs	
1/2 tasse	cassonade	125 ml
1/2 tasse	huile végétale	125 ml
1 c. à thé	vanille	5 ml
1 1/2 tasse	farine	375 ml
1/2 c. à thé	cannelle	2,5 ml
1/2 c. à thé	soda à pâte	2,5 ml
2 tasses	pommes	500 ml
1/2 tasse	pacanes grillées	125 ml

Pour la garniture :

1 c. à thé	sucre	5 ml
1/4 c. à thé	cannelle	1 ml

1 Dans un bol, mélanger tous les ingrédients ensemble.

2 Déposer dans des moules à muffins. Saupoudrer du mélange de la garniture. On peut ajouter une pacane sur chacun des muffins pour décorer. Faire cuire à 350 °F (175 °C) 15-20 minutes.

Muffins aux bleuets (myrtilles)

Donne 9 muffins. Des muffins dont la texture moelleuse saura vous charmer.

1 tasse	farine	250 ml
1/4 de tasse	sucre	60 ml
1 c. à soupe	poudre à pâte	15 ml
1/2 c. à thé	bicarbonate de soude	2,5 ml
1/2 c. à thé	sel	2,5 ml
2	œufs	

3/4 de tasse	**yogourt à la vanille**	180 ml
1/2 tasse	**lait de soya à la vanille**	125 ml
2 c. à soupe	**huile végétale**	30 ml
3/4 de tasse	**bleuets (myrtilles) frais ou surgelés**	180 ml

1 Mélanger tous les ingrédients dans un grand bol en gardant les bleuets pour la fin pour ne pas trop les brasser.

2 Déposer dans des moules à muffins. Faire cuire au four une vingtaine de minutes à 400 °F (200 °C).

Muffins aux bananes

Donne 12 muffins. Pour retrouver le bon goût du pain aux bananes, mais encore plus rapidement.

2 tasses	**farine**	500 ml
1/4 de tasse	**cassonade**	60 ml
1 c. à soupe	**poudre à pâte**	15 ml
1/2 c. à thé	**sel**	2,5 ml
1/2 c. à thé	**muscade**	2,5 ml
1/4 de tasse	**amandes, effilées**	60 ml
1/4 de tasse	**pacanes**	60 ml
1/2 tasse	**raisins secs dorés**	125 ml
1/3 de tasse	**huile végétale**	75 ml
1/2 tasse	**lait**	125 ml
1	**œuf**	
3	**bananes, réduites en purée**	
1/2 c. à soupe	**jus de citron**	7,5 ml

1 Mélanger tous les ingrédients dans un grand bol, en prenant soin d'avoir fait griller les noix dans une poêle quelques minutes à feu moyen.

2 Déposer dans des moules à muffins. Faire cuire à 400 °F (200 °C) une vingtaine de minutes.

Biscuits à l'avoine

Voici la recette que j'ai inventé la nuit précédant
mon premier accouchement. Inspirant la maternité!
Donne une trentaine de biscuits.

1 tasse	**farine de blé entier**	250 ml
1 tasse	**flocons d'avoine**	250 ml
1/3 de tasse	**graines de tournesol**	75 ml
1/3 de tasse	**noix de Grenoble, hachées**	75 ml
1/2 tasse	**raisins secs**	125 ml
1/2 tasse	**cassonade**	125 ml
1 c. à thé	**poudre à pâte**	5 ml
1/2 c. à thé	**bicarbonate de soude**	2,5 ml
1/4 c. à thé	**cannelle**	1 ml
1/2 c. à thé	**sel**	2,5 ml
1/2 tasse	**compote de pommes**	125 ml
1 c. à soupe	**huile végétale**	15 ml
1	**œuf**	
1 c. à thé	**vanille**	5 ml

1 Mélanger tous les ingrédients dans un grand bol.

2 Façonner des biscuits à la petite cuillère. Déposer sur
une tôle à biscuits. Faire cuire à 400 °F (200 °C) une
quinzaine de minutes.

En bas : biscuits à l'avoine, au centre : biscuits aux arachides,
en haut : biscuits aux brisures de chocolat.

Biscuits aux brisures de chocolat

Qui dit non à une recette de biscuits aux brisures de chocolat? Personne. Donne 20 biscuits.

1/3 de tasse	**beurre fondu**	75 ml
1/2 tasse	**cassonade**	125 ml
1/2 c. à thé	**vanille**	2,5 ml
1	**œuf**	
1 tasse	**farine**	250 ml
1/2 c. à thé	**poudre à pâte**	2,5 ml
1/2 c. à thé	**sel**	2,5 ml
1/2 tasse	**noix de Grenoble, hachées**	125 ml
3/4 de tasse	**brisures de chocolat**	180 ml

1 Mélanger tous les ingrédients ensemble dans un bol.

2 Façonner des boules avec une cuillère qu'on viendra aplatir à la fourchette sur une tôle à biscuits. Faire cuire au four à 400 °F (200 °C) une dizaine de minutes.

Biscuits aux arachides

Donne une quarantaine de biscuits. Vous pouvez couper la recette en deux si vous ne vivez pas avec une armée de gourmands. Ils se congèlent aussi facilement.

2 tasses	**farine**	500 ml
2 c. à thé	**poudre à pâte**	10 ml
1/2 tasse	**beurre fondu**	125 ml
1 tasse	**beurre d'arachides croquant**	250 ml
1 tasse	**cassonade**	250 ml
1/2 tasse	**sucre**	125 ml
2	**œufs**	

Pour la garniture :

1/4 de tasse	**arachides**	60 ml
1/4 de tasse	**brisures de chocolat**	60 ml

1 Dans un bol, mélanger tous les ingrédients ensemble.

2 Faire des boules de pâte sur une tôle à biscuits et écraser à la fourchette. Mettre quelques arachides ou quelques brisures de chocolat sur chacun des biscuits pour décorer. Faire cuire à 400 °F (200 °C) une quinzaine de minutes.

Carrés granola

Une collation parfaite pour le petit creux d'après-midi.
Donne une vingtaine de carrés.

1/4 de tasse	**huile végétale**	60 ml
1	**œuf**	
1/4 de tasse	**cassonade**	60 ml
1 1/2 tasse	**flocons d'avoine**	375 ml
1/2 tasse	**noix de coco**	125 ml
1/2 tasse	**farine**	125 ml
1/4 c. à thé	**sel**	1 ml
1/4 c. à thé	**bicarbonate de soude**	1 ml
1/4 de tasse	**raisins secs**	60 ml
1/4 de tasse	**graines de citrouille**	60 ml

1 Dans un bol, mélanger tous les ingrédients ensemble.

2 Déposer un morceau de papier ciré dans le fond d'un moule ou sur une tôle à biscuits. Tasser le mélange en une croûte assez mince. Faire cuire une quinzaine de minutes au four à 400 °F (200 °C).

3 Sortir le papier ciré du moule. Laisser refroidir avant de couper en carrés.

Mini-bouchées aux dattes

Donne deux douzaines de petites bouchées. Les dattes remplacent merveilleusement bien le sucre.

1/4 de tasse	**beurre fondu**	60 ml
1/8 de tasse	**cassonade**	30 ml
1 c. à thé	**vanille**	5 ml
1	**œuf**	
1/4 de tasse	**yogourt nature**	60 ml
1/2 tasse	**farine**	125 ml
3/4 de tasse	**flocons d'avoine**	180 ml
1/4 de tasse	**graines de tournesol**	60 ml
1 tasse	**dattes, coupées en morceaux**	250 ml
1/2 c. à thé	**soda à pâte**	2,5 ml
1/4 c. à thé	**cannelle**	1 ml
1/4 c. à thé	**sel**	1 ml

1 Dans un grand bol, mélanger tous les ingrédients ensemble.

2 Façonner des bouchées à la petite cuillère. Déposer sur une tôle à biscuits.

3 Faire cuire 15 minutes à 400 °F (200 °C) dans un four bien chaud.

En bas : mini-bouchées aux dattes, en haut : carrés aux dattes.

Tarte au caramel

Voici une variante de la tarte au citron.

Pour la croûte :

1 1/4 de tasse	miettes de biscuits Graham	310 ml
1/4 de tasse	beurre	60 ml
1 c. à soupe	sucre	15 ml

1 Faire chauffer au micro-ondes les ingrédients de la croûte jusqu'à ce que le beurre soit fondu.

2 Déposer le mélange dans une assiette à tarte et en réserver un peu pour saupoudrer sur le dessus de la tarte à la toute fin.

Pour la garniture :

1 1/2 tasse	cassonade	375 ml
1 1/2 tasse	lait	375 ml
1/3 de tasse	farine	75 ml
1/2 c. à thé	sel	2,5 ml
2	jaunes d'œufs	
1 c. à soupe	beurre	15 ml
1 c. à thé	vanille	5 ml

1 Dans un chaudron, faire chauffer tous les ingrédients de la garniture ensemble jusqu'à épaississement. Déposer dans la croûte.

Pour la meringue :

2	blancs d'œufs	
2 c. à soupe	sucre	30 ml

1 Faire monter les blancs en neige en ajoutant le sucre graduellement. Déposer sur la garniture. Ajouter quelques miettes de biscuits Graham.

2 Faire chauffer quelques minutes au four jusqu'à ce que la meringue soit dorée. Laisser refroidir.

À gauche : tarte au citron, à droite : tarte au caramel.

Tarte au sucre de grand-maman

On comprend vite pourquoi cette recette s'est transmise de génération en génération. Facile, mince... et divinement bonne. Pour 4 à 6 personnes.

1	**fond de tarte**	
2/3 de tasse	**cassonade**	150 ml
1 c. à soupe	**fécule de maïs**	15 ml
2/3 de tasse	**crème 35%**	150 ml
	pacanes ou noix de grenoble (facultatif)	

1 Mélanger la cassonade, la fécule de maïs et la crème dans un bol. Déposer dans le fond de tarte.

2 Ajouter des pacanes ou des noix de grenoble au goût sur le dessus.

3 Faire cuire au four à 350 °F (175 °C) 25-30 minutes.

TARTE AU SUCRE - Quand on parle de tarte au sucre, le nom de grand-maman revient souvent dans le portrait. Il faut dire qu'à l'époque, cette tarte était une aubaine, un mélange de sucre brun et de crème de la ferme.

Gâteau ricotta et noix de coco

Un gâteau si vite préparé, que cela compensera pour les 40 minutes de cuisson. Pour 4 à 6 personnes.

2 tasses	**fromage ricotta**	475 g
3	**œufs**	
1/3 de tasse	**sucre**	75 ml
1/3 de tasse	**raisins dorés**	75 ml
1/3 de tasse	**noix de coco non sucrée**	75 ml
1/8 de tasse	**farine**	30 ml
	le zeste d'un demi citron	
1 c. à soupe	**jus de citron**	15 ml
1 c. à thé	**vanille**	5 ml

1 Mélanger tous les ingrédients ensemble. Déposer dans un moule à gâteau rond huilé.

2 Faire cuire à 400 °F (200 °C) une quarantaine de minutes. Manger une fois refroidi.

RICOTTA - Fromage frais issu de l'histoire culinaire italienne. On l'utilise surtout avec les pâtes et dans la confection de desserts.

Crème onctueuse

Mon fils ronronne à manger cette recette dérivée de la célèbre crème Budwig. À manger au petit déjeuner, ou pour remplir un petit creux d'après-midi.
Pour 4 personnes.

1/2 tasse	**flocons d'avoine**	125 ml
1/2 tasse	**graines de tournesol**	125 ml
1/2 tasse	**graines de lin**	125 ml
1/2 tasse	**yogourt nature**	125 ml
1/2 tasse	**jus de pamplemousse pressé**	125 ml
1/4 tasse	**jus de citron pressé**	60 ml
1	**banane**	

1 Passer les flocons d'avoine, les graines de tournesol et de lin au moulin à café.

2 Ajouter le yogourt, les jus de fruits et les bananes écrasées. Brasser et déguster.

CRÈME BUDWIG - Elle a été créée par la doctoresse Kousmine, originaire de la Suisse. Chaque ingrédient de la crème Budwig a sa raison d'être et ses propriétés. C'est le point de départ explosif d'une journée.

HEADLIGHT est une équipe de professionnels de la photographie. À la tête de l'entreprise depuis 12 ans, David Radburn et André Rozon ont une feuille de route très variée. Ils ont plongé avec enthousiasme dans le projet *L'express végétarien* pour le mariage de deux passions; l'art et la gastronomie.

info@headlight.ca